L'AMOUR
N'EST PAS UN DÉFI
AIMER ET SE LAISSER AIMER

Gilles Bordessoule

L'AMOUR
N'EST PAS UN DÉFI

AIMER ET SE LAISSER AIMER

 Éditions de Mortagne

Données de catalogage avant publication (Canada)

Bordessoule, Gilles, 1953-

    L'amour n'est pas un défi : aimer et se laisser aimer

    ISBN 2-89074-863-4

    1. Amour. 2. Relations humaines. I. Titre.

BF575.L8B67 1996   152.4   C96-940758-0

Édition
Les Éditions de Mortagne
Casier postal 116
Boucherville (Québec)
J4B 5E6

Distribution
Tél.: (514) 641-2387
Téléc.: (514) 655-6092

Dépôt légal
Bibliothèque nationale du Canada
Bibliothèque nationale du Québec
Bibliothèque Nationale de France
1er trimestre 1997

ISBN : 2-89074-863-4

1 2 3 4 5 - 97 - 01 00 99 98 97

Imprimé au Canada

Table des matières

VIII. Incarner l'amour

TROISIÈME PARTIE
LA COMMUNICATION

IX. Amour et communication

X. La communication du cœur

XI. Les trois piliers de l'amour

QUATRIÈME PARTIE
LA DÉPENDANCE

XII. La dépendance, un substitut à l'amour

CINQUIÈME PARTIE
CONSTRUIRE UNE RELATION AMOUREUSE

XIII. Amour et conscience de soi

SIXIÈME PARTIE
LE COUPLE CONSCIENT

XIV. La relation vivante

XV. Des clefs pour une relation amoureuse réussie

Première partie

HAINE ET AMOUR

Introduction

Ce livre n'aurait pu voir le jour sans les témoignages de dizaines de femmes et d'hommes qui ont bien voulu me faire confiance et se livrer à cœur ouvert.

Ces personnes, que j'ai rencontrées dans un cadre thérapeutique, m'ont fait part de leurs «problèmes de couple» ou de leurs «problèmes relationnels». Elles se demandaient : «Que puis-je faire pour aimer et me laisser aimer? Comment trouver le partenaire dont je rêve? Pourquoi toutes mes relations amoureuses semblent-elles vouées à l'échec? Pourquoi personne ne m'aime?» Elles cherchaient quoi *faire*, comment améliorer cette situation. De nombreux livres leur expliquaient comment agir, par quels moyens ne plus «trop aimer» ou bien comment s'attacher un homme «qui a peur d'aimer». Cependant, elles avaient beau faire des efforts pour «sortir du problème», elles retombaient généralement dans les mêmes ornières.

C'est donc qu'elle est bien profonde, cette trace intérieure si aveuglément suivie, qui ramène avec tant de constance vers l'échec. Souvent, au cours du travail thérapeutique, on voyait cette ornière, ce gouffre plutôt. Et le patient, accédant pour la première fois aux causes fondamentales de son désamour, s'écriait : «C'est un puits sans fond», tant il se sentait submergé par sa souffrance, son désert intérieur, le manque d'amour ainsi révélé.

Pour aimer, il n'y a pas de «trucs», de «recettes» ou d'efforts à faire. Aimer est un état d'être. Aussi est-il illusoire de tenter de recourir à des techniques visant à «guérir» de la dépendance, bref de *faire*, tant que l'on n'a pas recouvré un *état d'être aimant*. Alors, tout naturellement, on attirera le partenaire souhaité, on communiquera avec fort peu de difficultés et on sera aimé.

Pour sortir du manque d'amour, il suffit d'aimer. Voilà qui peut paraître une lapalissade, sauf à mieux définir le mot aimer. Très souvent, des problèmes qui semblent insurmontables s'éclaircissent dès lors que l'on possède une véritable compréhension des forces en présence. Un «problème» est un conflit. Une intention en rencontre une autre, qui lui est opposée. Ainsi «je veux aimer» rencontre une force contraire, «je n'ose pas faire confiance» ou bien «je me dispute avec mon amant(e)». La compréhension du problème passe donc par une connaissance exacte du terme principal, «aimer».

Qu'est-ce qu'aimer?

Il y a quelques semaines, je rendais visite à une amie, écrivain de talent, belle, intelligente, bien établie socialement.

Une telle personne me semblait susceptible d'attirer l'attention de nombreux hommes. Vu sa personnalité, son énergie, elle me semblait mériter un compagnon de valeur, doté de grandes qualités d'action et de cœur. En fait, depuis quatre années que nous nous connaissons, je ne lui ai connu que deux amants et, chaque fois, la relation s'est avérée être un échec.

Mon amie a «tout pour être aimée», mais n'arrive pas à construire une relation durable. Pourtant, en tant qu'écrivain, elle rencontre de très nombreuses personnes, aussi bien des éditeurs que des réalisateurs de cinéma ou des journalistes, en général hommes brillants et séduisants.

Elle m'avait appelé, car son amant venait de rompre. Il n'avait pas donné signe de vie depuis près d'une semaine. Elle était effondrée et recherchait de l'aide. Notre conversation révéla sa jalousie extrême, une extraordinaire possessivité, une passion totale qui induisait une colère foudroyante, mêlée à cet «amour» brûlant envers son dernier amant qui avait fui chez sa mère, épouvanté par tant de dévotion et d'exigence. Il n'en demandait sans doute pas tant! Pourtant, lui aussi m'avait dit «l'aimer à la folie» deux ou trois mois plus tôt. Mais peu assuré dans la vie, d'une personnalité fragile, il ne pouvait porter si lourde passion. D'ailleurs, il me semblait qu'il demandait plus à être porté qu'à couvrir de ses bras protecteurs une quelconque Dulcinée, et surtout pas cette femme tellement énergique et extravertie.

Si l'on s'en tenait aux apparences, le cas était clair. Mon amie, forte femme, recherchait des amants qu'elle pouvait dominer et les trouvait, les dévorant ensuite «amoureusement». Tandis que ses amants – dont elle espérait faire des maris – s'avéraient être des hommes faibles, à la recherche d'une mère protectrice, peu aptes à lui offrir dans la vie le compagnon solide qu'elle disait rechercher.

Sous ces apparences-là, sa jalousie me racontait une tout autre histoire. Elle me semblait symptomatique de l'immense peur qui hantait cette femme dès le début de la relation avec chacun de ses amants. Inconsciemment, elle avait toujours été persuadée qu'elle ne saurait les retenir, malgré son intelligence, sa beauté, son talent et sa réussite sociale. Au cours de notre conversation, je découvris là, sous l'apparence de la sûreté de soi, une petite fille inquiète, une fragilité immense, une blessure secrète.

Je lui fis part de cette intuition. Alors apparut une immense colère, qui se déversa sur les hommes en général et moi en particulier. «Elle m'avait appelé pour être consolée» et voilà «que je l'agressais, que je profitais de sa faiblesse passagère».

J'assistais là à une histoire vieille comme le monde : mon amie, petite fille fragile, protégée par une solide armure de Walkyrie conquérante, recherchait la protection et l'attention d'un homme dont elle n'aurait pas peur, car le monde masculin l'effrayait et provoquait chez elle une colère visiblement très ancienne. Elle s'attachait donc à des amants qui paraissaient assez inoffensifs pour lui permettre de se laisser aimer. Dans le même temps, elle leur faisait payer durement cette colère enfouie dont elle n'était pas du tout consciente et qui s'adressait à un autre homme. Sa colère était soulevée par le souvenir profondément refoulé de la trahison ancienne de cet homme-là.

Son père peut-être?

Au-delà des apparences, cette histoire d'amour était celle de deux enfants vivant dans des corps d'adultes, à la recherche de l'assouvissement de leurs besoins insatisfaits. Elle recherchait la protection d'un «papa bienveillant»; son amant, celle d'une «maman sereine». À ces demandes aussi impérieuses qu'inconscientes se mêlait le ressentiment de l'enfant à qui l'amour maternel ou paternel n'avait su apporter la paix et le contentement. Mon amie se retrouvait donc de nouveau inassouvie, car la satisfaction qu'elle demandait à ses amants s'adressait en fait à son père. Quant à son partenaire, il avait fui... chez sa mère, ce qui était assez révélateur.

La plupart des couples en crise que j'ai pu rencontrer obéissait à ce schéma archétypal :

- *La fascination envers l'Autre,* supposé combler le manque affectif.

- *La découverte de la réalité* : l'«Autre» ne peut combler un manque qui est un «puits sans fond» ainsi que l'expriment de nombreux patients. Ce besoin est un manque d'enfant qu'aucun amant ne saurait véritablement combler. Tout au plus peut-il le soulager momentanément.

- *La frustration,* qui réveille une colère refoulée, celle de l'enfant lorsqu'il ne pouvait obtenir satisfaction pour ses besoins légitimes.

Un nouveau-né ne fait jamais de «caprices», pourtant, combien de mères le laissent-elles pleurer seul dans l'obscurité? Qui a revécu, adulte, l'épouvantable détresse du bébé abandonné ou manipulé par une maman énervée sait bien la terrible charge émotionnelle qu'il a portée en lui jusqu'au jour où il a pu s'en libérer en en prenant clairement conscience; en la *ressentant* totalement puis en la *verbalisant* clairement.

Et l'amour dans tout ça?

Pour ma part, je ne vois là que des besoins d'enfants inassouvis. Une quête à tâtons, dans l'obscurité des inconscients des deux amants, visant à remplir le «puits sans fond», le manque d'amour de la mère et du père.

Vivre à deux, c'est vivre à quatre; les deux adultes, censés être «raisonnables», plus les deux enfants blessés, cachés, inconscients, qui s'avèrent être les véritables maîtres de la relation!

Le reproche qu'une femme adresse à son mari pourra être : «Tu ne t'occupes pas de moi, tu passes tes soirées avec tes amis», alors qu'en fait sa véritable demande serait : «J'ai besoin que tu fasses attention à moi, que tu me reconnaisses, que tu me prennes plus souvent dans tes bras avec tendresse.»

Le mari répondra : «Mes amis sont importants pour ma carrière, c'est comme cela que je réussirai socialement», alors qu'en fait sa véritable demande sera : «J'ai besoin d'un espace de liberté dans notre couple, et une soirée par semaine entre vieux copains me permet de t'aimer mieux.»

Les véritables besoins de tendresse et de liberté ne sont pas exprimés. Ils sont refoulés, inconscients. Ce sont ceux des «enfants blessés». Tant que ce fait ne sera pas reconnu, aucune thérapie de couple ne pourra faire avancer les choses.

Il ne faut pas prendre pour argent comptant les déclarations des deux partenaires. Les adultes auront beau être sincères et «faire des efforts», ce sont les enfants blessés qui sont aux commandes, criant famine d'amour maternel et paternel. Tant que ces blessures-là ne seront pas conscientes, les problèmes du couple paraîtront insolubles et les amants ne communiqueront pas véritablement, puisque ce qu'ils exprimeront ne correspondra pas aux besoins des enfants blessés cachés en eux.

Si on accepte cette théorie, alors les problèmes du couple s'éclairent quelque peu. Il suffit de bien connaître la demande véritable, celle de l'enfant en manque et en colère de ce manque, puis de l'exprimer clairement au partenaire. Si celui-ci peut pourvoir aussi bien aux demandes adultes (participer activement à la vie du ménage, mettre au monde des enfants, s'en occuper, créer quelque chose en commun, partager quelques goûts et des visions de la vie qui soient compatibles) et aux demandes de «l'enfant intérieur» (être rassuré, câliné, choyé, reconnu, accepté inconditionnellement), alors le couple sera viable.

Point n'est besoin d'être totalement libéré de ses manques affectifs pour former un couple conscient. Il suffit que les partenaires connaissent leur propre «enfant intérieur» et acceptent sincèrement l'existence de celui du partenaire. La relation se jouera sur les deux registres qui composent la personnalité des amants : l'«adulte raisonnable» et l'«enfant intérieur».

Les amants pourront exprimer tour à tour l'un ou l'autre des aspects de leur personnalité et demander la protection dont ils ont besoin. La relation sera riche et fructueuse, si les rôles sont équilibrés, s'inversant régulièrement en fonction des situations.

Constituer un couple, n'est-ce pas s'entraider à affronter la vie? Quel est l'homme qui, rentrant du travail, n'a pas besoin de se sentir soutenu en confiant à une oreille attentive et bienveillante la frustration professionnelle du jour? Quelle est la femme qui ne rêve pas de s'abandonner dans les bras rassurants d'un homme?

Alors, c'est quoi aimer?

J'ai bien peur qu'il ne me faille tout ce livre pour tenter d'exprimer mon opinion sur le sujet. Cependant, posons quelques définitions, hypothèses de travail qui seront étayées ultérieurement.

- *L'amour ne peut s'atteindre au travers de techniques répondant à des demandes conscientes.* Il est un *état d'être.* Seules la sensation et l'expérience directe peuvent nous faire comprendre ce dont il s'agit. *La solution ne consiste pas à trouver le «bon partenaire», mais à éveiller l'amour en soi.*

- *On ne peut aimer qu'un être humain.* L'animal de compagnie (chat, chien, singe, perroquet) n'est pas aimé. Il n'est que le déversoir du manque affectif, comme le «nounours» pour l'enfant. La «mémère à son chien-chien» est une petite fille en manque d'amour dans un corps de personne âgée. Elle n'aime pas son chien; elle s'en sert afin de soulager sa solitude.

- *Le bébé, s'il est le déversoir affectif d'une mère et d'un père névrosés, n'est pas véritablement aimé.* Il est un animal de compagnie qui apporte certains bénéfices secondaires. Il permet de se sentir «femme» ou «homme» ayant donné la vie, de s'établir socialement, de se rassurer, de consolider son couple... Combien de femmes veulent-elles un bébé pour «accomplir leur destinée de femme» sans penser une seconde à ce qu'elles peuvent apporter à cet enfant? Ou pire, se «font faire un enfant» afin de pousser leur amant au mariage?

- *Un bébé entre les mains d'une femme névrosée n'est donc pas traité par elle véritablement en tant qu'être humain.* Il est un objet : «*objet d'amour*», substitut visant à combler le manque affectif; *objet manipulé* par deux adultes inconscients qui l'utilisent comme otage dans leur chantage inconscient réciproque. (C'est là tout le problème de la garde des enfants lors du divorce. L'intérêt de l'enfant n'est pas toujours considéré! Ce fait est révélateur de sa véritable fonction au sein du couple. Il est utilisé au lieu d'être le but du mariage.) Cette négation originelle de l'Être du nouveau-né est la racine de toutes les souffrances relationnelles ultérieures. On peut décrire celles-ci par le menu, il y faut alors de nombreux volumes. La vérité est d'une confondante simplicité : si l'enfant a, inconsciemment, été utilisé comme un objet, sa qualité d'être humain n'a pas été pleinement reconnue. Il poursuivra vainement toute sa vie cette reconnaissance, cet *amour*, qui conditionne le respect qu'il a pour lui-même, la valeur qu'il s'accorde, et donc sa capacité d'aimer et de se laisser aimer.

- *Aimer, c'est reconnaître l'Être de l'Autre.* On peut accepter que l'Autre soit ce qu'il est seulement dans la mesure où l'on n'attend pas de lui de combler un manque affectif. Si l'on attend quelque chose en retour de son «amour», il s'agit là d'une relation marchande, non amoureuse. On ne pourra accepter de ne pas recevoir de l'Autre l'assouvissement recherché et on le lui reprochera. Il devient *responsable de notre manque.* En cela, sa liberté de donner ou de ne pas donner ne sera pas respectée. Il sera perçu comme un moyen de soulager le manque, non en tant qu'être indépendant et libre.

Dans l'absolu n'est totalement *aimant* que celui ou celle qui n'a plus de manques affectifs. L'être «libéré», le Bouddha, aime universellement. Il donne sans rien attendre en retour.

- *Aimer, c'est accepter inconditionnellement l'autre.* «Je suis là. Tu es là. Je reconnais pleinement ton existence, ce que tu es.»

- *Reconnaître pleinement l'existence d'un être, c'est accepter pleinement sa liberté d'être humain.*

La jalousie est le poison de l'amour. On confond généralement *attachement* et amour. Je suis attaché à mon chat, car il me fait des câlins. Je suis *attaché* à mon amant(e) pour la même raison. Par contre, *j'aime* cet homme, cette femme, car il ou elle existe, non point pour ma satisfaction person-nelle. Je donne, sans rien exiger en retour. Alors, je reçois. Car donner à l'autre, c'est émettre une énergie génératrice de vie et c'est dans le même temps s'ouvrir à elle, accepter de la recevoir. «Donnez (sans souci de retour) et vous recevrez», comme le dit la Bible, est une des lois fonda-mentales de la vie.

Certes, dans l'amour incarné, il y a toujours une part de manque affectif enfantin à combler, mais cette part inéluctable s'accompagne du *respect de la liberté de l'Autre*. Il peut ou non être à même de nous donner ce que nous demandons. Notre amour n'est pas *conditionné* par son acceptation ou son refus. Notre amour EST, si nous sommes aimants, sans but et sans cause.

- Lorsque l'adulte contacte le manque affectif, il ou elle le ressent, nous l'avons vu, comme une souffrance infinie, comme un «puits sans fond». La mère est en effet tout pour le nouveau-né puisqu'elle représente la vie. Elle assure sa survie matérielle tout d'abord, mais elle est également la première personne qui l'initie à l'incarnation et lui permet ainsi d'accomplir sa destinée : donner du Sens à sa vie.

La mère est donc le fondement, le *fond* de tout être humain. Elle est aussi ce *«puissant fond»* d'une force d'attraction gigantesque à laquelle bien des adultes ne peuvent échap-per. Pourquoi? Parce qu'ils portent en eux un enfant qui reste toujours dans l'attente de recevoir son *comptant d'amour*.

Cette relation inassouvie avec la mère constitue peut-être la principale caractéristique des peuples occidentaux, tout particulièrement des «Peuples du Livre» : les Méditerranéens. Le caractère possessif de la mère juive est proverbial; le rapport des musulmans avec la femme est connu pour être de l'ordre du conflit/fascination; le carac-tère «machiste» de l'Espagnol, de l'Italien ou du Marseillais révèle une attitude du même ordre.

Tous ces hommes ont vis-à-vis des femmes une problématique conflictuelle et c'est au rapport avec la mère qu'ils le doivent. Nous verrons plus loin en quoi. Ce qui nous intéresse ici est de bien sentir que les hommes et les femmes possèdent tous en eux une ambivalence amour/haine, due aux besoins de l'enfant qui ne furent pas satisfaits par une mère insuffisamment sereine et *aimante*, c'est-à-dire n'usant pas de son enfant dans le but de combler ses propres manques affectifs et l'acceptant tel qu'il est. Il s'agit là du véritable amour maternel, rare dans nos sociétés où l'enfant est mis à la crèche très tôt, nourri au biberon alors qu'il est à peine âgé de quelques semaines. Parfois séparé de la mère dès la naissance, il n'a déjà pas reçu son comptant d'amour. Que dire des règles d'éducation à la dure qui ont prévalu durant plusieurs décennies, édictant de laisser pleurer le nouveau-né, de «ne pas céder à ses caprices»?

Nos pères et mères, eux-mêmes éduqués selon ces principes, nous en ont imprégnés, à moins qu'ils n'aient choisi de s'y opposer par une attitude inverse : l'extrême libéralisme des années 70 qui n'est qu'une réaction aveugle et non un retour à la conscience. Ce libéralisme, dépourvu d'un cadre protecteur, s'est avéré tout autant générateur d'angoisse pour l'enfant. Il nous appartient de briser la chaîne, de retrouver l'amour-liberté, l'amour-respect de l'autre, de retrouver l'amour pour nous-même qui conditionne notre capacité d'aimer et de nous laisser aimer.

Chapitre I
Amour et éducation

L'enfant naît doté d'un père et d'une mère ou de leur substitut. La tâche des parents consiste à l'éduquer pour en faire un homme ou une femme capable de survivre dans la société.

Éduquer vient du latin *ex-ducere*, tirer d'un état de non-existence et conduire vers... Mais vers quoi? Idéalement, l'éducation, qui commence le jour même de la naissance, devrait consister à conduire en douceur l'enfant, puis l'adolescent vers le plein développement des potentialités qu'il porte en lui, quelles qu'elles soient. Cela serait un véritable amour parental. «J'ai mis au monde cet être, mon devoir est de l'aider à trouver sa voie, afin qu'il se réalise totalement en tant qu'adulte. Il ne m'appartient pas, il fait partie de la vie.»

L'amour consiste à donner la vie, à la respecter telle qu'elle est, à accorder à l'enfant la liberté d'être ce qu'il est; véritablement à *donner* sans rien marchander. Cet amour-là est inconditionnel.

La réalité est malheureusement différente. Pour les parents, l'éducation consiste trop souvent à inculquer les règles et lois conscientes et inconscientes qu'eux-mêmes respectent ou reconnaissent.

L'éducation, au lieu d'élever l'enfant vers le plein épanouissement de ses potentialités, s'acharne avant tout à poser un carcan rigide dans sa tête. «C'est pour ton bien.» Ce carcan-là est composé des préjugés et des tabous sociaux qui constituent l'univers mental des parents. L'enfant, lui, possède au début une remarquable capacité à observer les choses «telles-qu'elles-sont». Il naît vierge de toute limitation de sa pensée, son jugement n'est pas encore conditionné par des valeurs ou des opinions qu'il n'a pas expérimentées lui-même.

Le parent, au contraire, voit la vie à travers son propre filtre mental, inculqué par l'éducation qu'il a lui-même subie. Bourré de préjugés sur ce qu'il convient de faire ou de ne pas faire dans la vie, il applique des «recettes comportementales». Coupé de sa propre sensibilité, il est capable de laisser hurler un bébé des heures parce qu'il a lu dans un livre (ou on lui a dit) que c'était ce qu'il fallait faire. Tous les dix ans environ sort un livre nouveau, indiquant aux parents «ce qu'il convient de faire», le plus souvent en contradiction totale avec le précédent!

Ainsi, la «mode» fut le dirigisme et l'autorité dans les années cinquante, la permissivité dans les années soixante-dix, le retour au «cadre» ensuite. Le pendule va et vient. Mais si aimer, c'est respecter, en quoi l'enfant est-il respecté dans cette éducation, ce dressage plutôt, par des parents plus soucieux de correspondre à des normes sociales que capables de *ressentir* ce dont il a véritablement besoin?

Naturellement, tout cela se passe dans le plus parfait «amour» parental. C'est pour «le bien de l'enfant» qu'on l'enferme dans ce carcan, bridant sa spontanéité et sa créativité, sans combler son besoin d'amour.

C'est ainsi qu'une *idéologie* vide l'enfant de son Être afin qu'il puisse s'intégrer harmonieusement dans sa classe sociale, sa caste et plus généralement la société, en commençant par la famille.

L'enfant est un être totalement sensible, contrairement à l'immense majorité des adultes dont les sens ont été châtrés précisément par l'éducation qu'ils ont subie. Il ne peut que *protester* contre un traitement aussi destructeur, contre une telle méconnaissance de ses besoins. Il en éprouve de la colère et dans le même temps ne pourra *qu'aimer* totalement ses parents qui représentent pour lui le réel incarné et la source de la survie matérielle.

Cependant, toujours «pour son bien», sa colère et sa révolte légitime seront réprimées dans la violence. La seule violence physique autorisée dans notre société est celle, terrible, qui s'exerce à l'encontre des enfants. On peut les gifler, les fesser, les malmener. «Qui aime bien châtie bien». Notre religion chrétienne, notre idéologie républicaine, notre culture associent de cette façon amour et violence. Dès le plus jeune âge, l'enfant baigne dans cette atmosphère sadomasochiste où *aimer, c'est aussi faire du mal et être aimé, c'est aussi recevoir des gifles, voire des coups.*

Sous les dehors logiques de l'éducation se cache la violence inconsciente que les parents portent en eux. Celle-ci ne trouve d'exutoire autorisé que sur les enfants leur *appartenant*. Un adulte n'est en général pas autorisé à battre l'enfant d'un autre, mais il peut gifler le sien. Il ne sera pas poursuivi. Les mauvais traitements à enfants figurent, avec l'inceste, parmi les derniers tabous de notre société! Les dernières études révèlent qu'entre 10 à 15 % des enfants sont victimes de viols incestueux et qu'entre 20 à 30 % reçoivent des coups suffisamment violents pour laisser des traces physiques! Combien de parents ne giflent-ils pas leurs enfants lorsqu'ils rentrent du travail, humiliés par leur chef de service ou exaspérés par les embouteillages?

C'est cet alliage si subtil de l'amour total porté par l'enfant à ses parents et de la douleur reçue d'eux qui rendra l'état d'être aimant problématique à l'adulte qu'il deviendra. En effet, comment pourra-t-il aimer sereinement si toute son expérience d'amour s'est déroulée autour d'une mère et d'un père névrosés lui faisant – subtilement ou pas – mal?

Comme dans le bronze, alliage d'étain et de cuivre, il sera impossible à l'adulte de distinguer, dans le sentiment amoureux, l'amour véritable et les sentiments de révolte ou de peur qui y sont mêlés. La «dé-fusion» pourra se faire uniquement dans un cadre psychothérapeutique ou bien, plus rarement, dans celui d'une recherche spirituelle. *L'adulte découvrira alors, par la sensation alliée à l'intellect :*

- *qu'il est littéralement construit des névroses de sa mère et de son père.* La souffrance se tète au sein maternel et même durant la vie intra-utérine.

- *Il revivra physiquement les sensations de désespoir, de révolte, de haine qu'éprouve le nourrisson* traité d'une façon imperson-nelle, sans amour ou, pire, avec une hostilité inconsciente par une mère angoissée, nerveuse ou névrosée.

- *Il ressentira enfin ce qu'il n'a pu sur le moment accepter de ressentir.* Il EST la violence maternelle et paternelle. Non seulement il la porte en lui, mais il en est pétri, façonné. Il l'incarne, même si (surtout si) elle est refoulée, totalement inconsciente.

Je ne parle pas ici de violence caractérisée. Je parle de la vio-lence subtile, cachée que revivent de très nombreux patients au cours de leur cure. Cette découverte les laisse «sans voix». Leur «monde s'écroule». Ils découvrent l'autre visage de la mère (ou du père) tant aimée. Ils rencontrent alors leur véritable souf-france intérieure, le manque d'Amour, c'est-à-dire le manque d'une éducation donnée par des parents équilibrés, heureux, «bien dans leur peau», respectant totalement l'être de leur enfant et ne le prenant pas pour le déversoir de leur propre manque affectif (c'est cela la violence fondamentale faite à l'en-fant) ou pour la victime expiatoire de leur propre souffrance.

Les stratégies de la violence parentale

Il existe une infinité de modes d'application de cette violence parentale inconsciente; cependant, on peut en reconnaître quatre grands types :

- *Faits plaisir à maman.* La mère demande à l'enfant de choisir entre son amour pour elle et son désir d'agir librement, son autodéterminisme, son identité propre. Bien sûr, il «choisira» la mère, car elle représente tout pour lui, au point qu'il introjectera (fera siennes) les valeurs qu'elle lui inculque.

Par amour, il intègre la névrose maternelle et paternelle à travers les demandes affectives de ses parents. Il renonce à être lui-même afin de donner de l'amour à sa mère. Certains enfants ont «porté» leurs parents en manque d'amour depuis leur plus jeune âge. À quel prix? Au prix d'eux-mêmes ainsi qu'ils le découvrent au cours de leur psychothérapie. D'où le ressentiment qu'ils portent tout autant envers eux-mêmes qu'envers la mère et le père.

- *Tu fais de la peine à maman.* La violence, ici, s'appelle culpabilité. La mère manipule son enfant en lui indiquant que s'il ne lui donne pas ce qu'elle demande, il va lui causer de la souffrance. Or, aux yeux de l'enfant, être coupable, c'est s'attaquer à la mère-nourricière qui représente tout pour lui. La mère, pour l'enfant, c'est la vie. S'il est coupable envers la vie, il ne peut que mourir, s'anéantir. Il se ressent *sans valeur;* c'est ce qui ressort très fréquemment en cours de psychanalyse.

La culpabilité est l'un des moyens d'exercer la violence les plus efficaces dans notre société judéo-chrétienne. Nous sommes tous coupables! Ne serait-ce que de la faute originelle d'Adam et Ève : celle d'avoir désobéi à Dieu, le terrible Père.

L'enfant a le «choix» (est-ce réellement un choix?) entre se respecter lui-même et poursuivre son activité, très généralement tournée vers l'exploration de ce qui l'entoure, ou bien se trahir lui-même et obéir. Non librement comme cela eut été le cas si l'adulte lui avait soigneusement expliqué le pourquoi de sa demande et si l'enfant avait compris que dans cette obéissance se trouvait une valeur positive, une action génératrice de vie. Mais, au contraire, une obéissance forcée, sous la pression d'un sentiment négatif de culpabilité, le fait se retirer de la vie, se ratatiner.

- *Maman ne t'aime plus.* La mère condamne l'enfant à mort. C'est la fin du monde, l'horreur absolue. La mère, c'est la vie; la vie, c'est l'amour. Plus d'amour, plus de vie. Tout cela paraît bien bénin à la mère, anesthésiée par sa propre éducation; mais, rappelons-le encore, les personnes qui, au cours de leur psychothérapie, revivent ces instants les peignent avec les couleurs de l'horreur et de la souffrance la plus dramatique.

- Une quelconque (ou plusieurs) de ces stratégies est mise en œuvre de façon tacite. La mère ou le père fait payer à l'enfant sa désobéissance en lui tournant le dos; le regarde d'un air dur, agressif; le lange avec rudesse; le lave de façon brusque avec, comme par hasard, une grande maladresse, génératrice de douleur.

  Si la mère est habitée d'une forte problématique sexuelle, ce sont les organes génitaux qui sont le plus souvent ciblés par sa «maladresse» (totalement inconsciente). Elle fabrique ainsi de futures frigides ou de futurs machos, habités par une peur panique de la femme : ils resteront toute leur vie sous les «coups» de la Mère toute-puissante.

Mais alors, comment éduquer son enfant? On ne peut le laisser libre d'agir totalement à sa guise!

Effectivement, le rôle des parents consiste à *fixer un cadre* à l'enfant, afin de lui permettre de survivre dans le monde matériel. C'est l'acquisition du «principe de réalité». L'enfant accepte certaines frustrations, car il a découvert qu'elles permettent l'accès à des plaisirs futurs encore plus grands.

Par exemple, les parents se doivent d'assurer la sécurité de leur enfant. Mais au lieu d'«adapter» l'enfant au salon et à la salle-à-manger, au prix de sa liberté, il est préférable de lui consacrer une partie de l'espace familial, totalement dénuée de danger, qui aura été *adaptée pour lui*. C'est cela l'amour et le respect! On préférera mettre les objets dangereux hors de portée de l'enfant plutôt que d'immobiliser ou de «parquer» celui-ci de force, châtrant ainsi son goût pour l'exploration, clef de sa créativité future et de son épanouissement personnel.

Les parents doivent faire face eux-mêmes à un choix : la liberté de l'enfant ou le bel ordonnancement du salon et non rejeter ce choix à la charge de l'enfant (sa liberté contre la préservation du confort parental).

Ce choix imposé à l'enfant est placé sous la menace de perdre l'amour parental. Jouer librement ou être aimé, il lui faudra «choisir». Combien de parents ont-ils modifié leur salon pour l'adapter à l'enfant? Généralement, on «parque» l'enfant ou bien on le gifle s'il a détruit un objet fragile.

Comment s'étonner dès lors de la colère (totalement refoulée, inconsciente!) envers les parents castrateurs qui apparaît au cours de la plupart des psychothérapies ou psychanalyses?

L'enfant exprimera cette colère refoulée d'une façon détournée, car l'expression directe lui en est interdite sous peine d'une violence répressive encore plus grande. Il s'en prendra aux murs de l'appartement, au vase de Chine, au chien de la maison; il arrachera les ailes des mouches; il donnera des coups de pieds au petit frère; mettra le hamster dans le four à micro-ondes ou le chat dans la machine à laver.

Le «sadisme» des enfants n'est que le miroir de celui des adultes. Tout comportement négatif de l'enfant est une protestation contre un comportement néfaste de l'adulte, tel un manque de reconnaissance, un manque de respect, un manque d'amour.

Mendiants d'amour

Tout compte fait, il nous faut bien admettre qu'une grande part de l'éducation, telle qu'elle est pratiquée généralement, consiste à demander à l'enfant de renoncer à ses pulsions vitales de créativité, d'exploration, de joie de vivre, afin de conserver l'«amour» parental. On voit bien qu'il s'agit là d'un «amour» conditionnel : «Si tu fais ceci, je t'aimerai; si tu ne le fais pas, je ne t'aimerai plus.»

Voici la seule forme d'amour que les parents inculquent à leurs enfants : l'amour marchand, conditionnel. L'enfant, après une vingtaine d'années passées à renoncer au désir d'être lui-même afin de sauvegarder l'«amour» parental, clef de sa survie physique, se retrouve vide de lui-même.

Il a définitivement abandonné ses valeurs propres. S'il a eu l'énergie de se rebeller, il ressentira peu ou prou son vide intérieur et la souffrance qu'il génère, mais très souvent, cette sensation elle-même est refoulée et, avec elle, la capacité de ressentir ses émotions, l'ouverture du cœur, la confiance en l'Autre, l'amour. L'adulte devient alors une bonne machine productrice et consommatrice, tentant en vain de combler il ne sait plus quelle frustration dans l'alcool, la cigarette, les sucreries, la sexualité compulsive, la course au pouvoir, à l'argent, à la consommation, au paraître.

Au sein du couple, il sera un *«mendiant d'amour»* qui demandera, *exigera* d'être comblé sans rien pouvoir donner en échange puisque, précisément, il est vide.

Si c'est un homme et qu'il rencontre une bonne petite fille à qui les parents ont appris «qu'une femme doit s'oublier et tout donner pour être aimée», alors le couple fonctionnera peut-être, sur un mode certes totalement infantile.

Le plus souvent, il s'agit de deux adultes-enfants vides, ne pouvant échanger que fort peu de choses et frustrés tous deux par le peu qu'ils reçoivent. On appelle cela les «problèmes du couple». En fait, il s'agit du conflit de deux mendiants qui se disputent une bribe d'amour : «Tu ne me donnes pas assez!» «Mais non, c'est toi qui...» Peut-être feront-ils un enfant dans l'espoir fallacieux d'y puiser cet amour qu'ils recherchent si désespérément.

Et le cycle recommencera, s'aggravant sans fin, au point que la notion même d'Amour disparaîtra pour faire place à un pseudo «amour». L'amour du mendiant pour celui qui va lui donner ce qu'il demande, l'«amour» du chasseur pour le gibier, *l'attachement,* la dépendance à un conjoint ou à un amant susceptible d'accorder ce qui manque si cruellement : l'Amour, le sentiment d'être relié à la vie.

C'est cet «amour»-dépendance, cet attachement que nous content les films romantiques, cet «amour-passion» où deux mendiants vides d'eux-mêmes croient pouvoir se remplir mutuellement. Toutes les difficultés du couple viennent de là. L'adulte est vide : il ne peut donc rien donner. De plus, une colère refoulée l'empêche de s'ouvrir en confiance et de recevoir ainsi le peu que son partenaire pourrait éventuellement lui donner. *Il ne peut ni donner ni recevoir. Ni aimer ni se laisser aimer.*

Chapitre II

La relation amoureuse

L'éducation met sur le marché de la vie des adultes qui ont totalement intégré les structures de pensée inculquées par les parents au moyen des manipulations affectives que nous avons brièvement examinées.

Tout naturellement, ils reproduiront les mêmes comportements vis-à-vis de leur partenaire amoureux. Bien plus encore que des valeurs conscientes et exprimées, les parents transmettent tacitement leur vision inconsciente du monde non oralement, mais par l'exemple qu'ils donnent. («Tous les hommes sont des lâches.» «Aimer, c'est s'oublier soi-même.»)

Munis de ce «code comportemental amoureux», l'adulte part à la recherche du partenaire idéal. Alléluia! Il ou elle le trouve. La terre se dérobe sous ses pieds, un éclair fend le ciel bleu : il ou elle *tombe* amoureux. Commence alors le premier épisode de la relation.

La fascination

Rappelons-nous que l'adulte n'a pas reçu l'amour véritable dont il avait besoin, il «est en manque». D'autre part, pour conserver l'amour parental, il a dû renoncer à être totalement lui-même. Il s'est trahi lui-même, il s'accorde donc peu de valeur. Au fond de lui, il sait que pour être aimé, il lui faudra séduire, plaire à l'autre, «se montrer sous son meilleur jour», bref, ne pas être véritablement lui-même.

De plus, il garde de son «dressage» une colère si énorme qu'il doit la refouler, la comprimer. Rongé du dedans, il projettera sa violence intérieure sur le conjoint, les enfants, le reste du monde.

Il est à la fois un «mendiant d'amour» aux mains vides, qui refoule puissamment la sensation de ses manques affectifs, et un enfant porteur d'une colère qu'il retourne contre lui-même ou bien laisse s'échapper par petites bouffées d'une hostilité inconsciente. Notons au passage que cette violence qu'il se fait à lui-même le conduit tout droit à la maladie physique et à la névrose.

Mais pour l'instant, notre amoureux est atteint par le «coup de foudre». Il est fasciné par l'Autre. Non par l'Autre lui-même, mais par ce qu'il attend de la relation, qui doit combler ce vide lancinant, ce manque d'amour poignant, cette solitude douloureuse qui le torture, même s'il n'en est pas totalement conscient. Il est un drogué d'amour auquel la mère n'a pas fourni sa dose. Il erre à la recherche d'un *dealer*, d'une station-service de l'amour afin d'y combler son «trou affectif» *dans la dépendance et l'attachement.* Dans un premier temps, il est totalement comblé. Toute l'énergie employée à refouler la sensation du manque d'amour se libère soudain, puisque le manque a (momentanément) disparu. L'amoureux se «sent pousser des ailes», gambadant de-ci de-là comme un jeune chevreau ou le gamin qu'il est. Enfin, il se sent libéré de cette pesanteur intérieure qui immobilisait son énergie et il lui semble échapper à l'attraction terrestre! Son rêve secret (combler le manque affectif) s'est incarné. En face, le partenaire éprouve très précisément les mêmes sensations et nourrit le même espoir inconscient : combler le manque affectif, téter à la citerne d'amour, retrouver le sein maternel dispensateur de satiété, d'apaisement, de sérénité.

Aux yeux de l'amoureux, l'être aimé constitue la source du bonheur. L'amoureux et l'amoureuse sont tous deux inconscients du fait que l'énergie ainsi libérée trouve sa source en eux-mêmes et non dans l'Autre.

La désillusion

Assez vite cependant, l'Autre déçoit les espoirs placés en lui; il ne peut fournir l'amour inconditionnel dont lui-même a tant manqué. Il ne peut combler le manque affectif, le «puits sans fond» puisque, précisément, il y manque un fond. Tout l'amour du monde ne saurait remplir ce vide sans limites. Même placé sous une douche d'amour, l'amoureux finira un jour par retrouver la sensation du manque. Ce n'est pas à l'adulte qu'il faudrait donner cet amour, mais à l'enfant souffrant qui est en lui, refoulé. Comme il n'en est pas conscient, il ne peut satisfaire cette part de lui-même. Seule une psychothérapie ou une pratique spirituelle pourrait lui en donner les clefs.

Il se sent donc trahi! Sans raison aucune, puisqu'il n'a même pas exprimé son véritable besoin! Cependant, se rejoue là pour lui la trahison primordiale. Autrefois, la mère (ou le père) n'a pas su lui donner l'amour inconditionnel qui aurait respecté totalement son Être. À présent, son (sa) partenaire ne peut combler l'insatiable manque.

L'amoureux revit là le drame fondamental de son enfance : il s'est senti trahi et, objectivement, l'a souvent été – d'une façon totalement inconsciente – par une mère qui confondait *attachement possessif* et *amour*.

Comme lui-même n'a jamais appris à respecter l'Autre en un amour inconditionnel, il ne peut accepter que celui-ci n'ait pu lui donner ce qu'il espérait. Il projette alors sur son amant(e) la colère originelle, celle qu'il voue en fait à la mère et au père.

Le conflit

Gérant la relation au mieux de leurs intérêts inconscients, les deux partenaires vont adopter les stratégies que leur ont inculquées les parents.

Afin d'obtenir ce qu'ils attendent de leur partenaire sans lui exprimer ni même clairement le percevoir, *ils vont tenter d'adapter celui(celle)-ci à leurs besoins.* Comme les parents ont adapté l'enfant afin qu'il réponde à leurs propres besoins.

Un amour véritable consisterait à accepter l'Autre tel qu'il est. C'est exactement l'inverse qui se produit : on va tenter de le transformer, puisque ce qu'il *est* ne convient pas. L'amant(e) se retrouve donc dans la position du parent qui prétend modeler l'enfant afin de l'adapter à ses rêves, ses fantasmes, ses désirs. «Nous en ferons un chirurgien, comme papa» ou bien «Dans la famille, on sait se tenir».

Il est naturel que la stratégie employée par l'amoureux soit celle qu'utilisèrent ses parents envers lui et qu'enfant, il a totalement intégrée au point que *l'adulte qu'il est devenu n'est pas du tout conscient de ce qu'il fait réellement.*

Pour changer l'autre, le levier le plus puissant est la culpabilité. On lui fera sentir à quel point «il fait souffrir», «il est méchant», «il ne se conduit pas comme un(e) véritable mari (femme)».

Les partenaires tâtonneront un peu avant de trouver la bonne technique, celle qui, enseignée par leurs parents respectifs, produit les meilleurs résultats. Ils appuyeront sur le bouton autant de fois qu'il le faudra, jusqu'à ce que le partenaire cède et se trahisse lui-même, adaptant son Être à la demande de l'autre. Cette autotrahison réveillera toute la colère refoulée depuis si longtemps, ayant acquis de ce fait une énorme force pulsionnelle. Souvent, il la refoulera encore et fera payer sa souffrance, d'une façon détournée et inconsciente, à son partenaire. Manipulations, jeux de pouvoir, sadomasochisme, les formes que prennent ces chantages sont en nombre illimité, mais le mécanisme de base reste toujours le même : en l'adulte réside un enfant souffrant du manque d'amour. Comme l'adulte n'en a pas conscience, il ne peut en tenir compte et espère confusément que son partenaire soulagera sa souffrance. Il tente de trouver une réponse à l'extérieur de lui. Quête vouée à l'échec, restimulation de sa souffrance dont il tiendra le partenaire pour responsable.

Le marchandage

Bien sûr, ce jeu est à double sens. Les partenaires acceptent, dans une certaine mesure, de nier leurs propres besoins afin de conserver l'amour de l'Autre. Ils ont appris à faire cela durant toute leur enfance.

Ils se sentent victimes de l'Autre. Mais à victime, victime et demie. S'ils acceptent le chantage, c'est afin de pouvoir contraindre l'Autre à leur donner ce qu'ils attendent de lui. Ils lui retournent le même chantage.

Un marchandage tacite se met en place. «Je me fais violence pour te présenter une image de moi qui te convienne, mais je te fais la violence de te demander d'agir de même envers moi; *tu dois devenir celui que je voudrais que tu sois.*» Alors se nouent des stratégies parallèles d'une effrayante complexité, un sac de nœuds où ce qui s'exprime n'est pas ce qui est véritablement demandé, faute pour les deux partenaires d'avoir recouvré leur sensibilité et l'accès à leur inconscient. Récriminations, reproches, jugements, hostilité sournoise sont le lot commun à bien des couples.

Quelle que soit la forme que ces luttes présentent, il y a là deux enfants qui crient famine d'amour sans se le dire ouvertement, car ils ne le ressentent pas consciemment.

Comment briser le mur du silence?

Retrouver son «enfant intérieur» constitue le cœur de toute psychothérapie. Pour cela, il faudra accepter de revivre l'inacceptable : la sensation du manque d'amour maternel. Non que la mère ait toujours été une «mauvaise mère» selon les normes de notre société, mais elle-même inconsciente de ses besoins inassouvis, elle a *contaminé* son enfant par son propre manque d'amour.

À la grande stupeur des patients qui, très généralement, idéalisent leurs parents, ils découvrent à quel point ils furent mal aimés, «aimés» d'un «amour» empoisonné qui maintenant coule dans leurs veines. Ils découvrent que cela a généré en eux une énorme colère, qu'ils refoulent depuis. Il ne s'agit pas de la colère ou de la haine de l'adulte, mais bien de la terrible protestation d'un enfant trahi dans son être. Comment dès lors s'étonner qu'ils ne soient pas capables d'aimer et de se laisser aimer? Briser le mur du silence, c'est accepter de ressentir la colère que l'on voue à ses parents, mais aussi l'atroce chagrin du manque d'un amour véritable.

Chapitre III

Le manque de la mère
et du père

Tout d'abord, précisons un point qui me semble fondamental.

Dire que l'enfant n'a pas reçu l'amour qu'il attendait et
conserve les traces affectives de ce manque ne signifie nullement que les parents n'aimaient pas leur enfant ou qu'ils le
maltraitaient.

Les parents, même s'ils sont de bonne volonté, ne peuvent
transmettre ce qu'ils ne *sont* pas. S'ils ne sont pas équilibrés,
«bien dans leur peau», ils ne pourront transmettre un amour
qu'ils ne possèdent pas. Ils ne peuvent être véritablement
aimants si le poids de leur souffrance intérieure est trop lourd.

Rappelons-nous que l'enfant est «fabriqué» des matériaux
fournis par les parents. Aussi bien sur le plan physique, par la
fusion des deux molécules d'ADN, que mental, à travers
l'éducation, et aussi, ce qu'on oublie trop souvent, sur le plan
spirituel, c'est-à-dire la faculté de se sentir relié à la vie.

«Se sentir relié à la vie.» On retrouve là l'origine du mot
«religion» (*religare*, «relier»). Or, comme nous le dit le
Christ : «Dieu est Amour». Nous pouvons convenir que
l'amour n'est pas véritablement physique ou mental, mais participe au troisième niveau : le spirituel.

Aimer, c'est être relié à la vie. La vie, nous la percevons à travers nos sensations. Imaginez un être qui ne verrait pas, n'entendrait pas, ne posséderait aucun sens tactile ni gustatif, ni d'odorat. Vivrait-il une vie incarnée?

Vivre, c'est ressentir. L'être qui refoule ses sensations est mort, puisqu'il ne perçoit plus le Réel. Une personne névrosée refoule la sensation de ses émotions négatives (peur, colère, haine...) en se coupant de tout ressenti. Ce faisant, elle se coupe de la vie, donc de l'amour, et ne peut le transmettre à l'enfant.

La relation mère-enfant, lors de la gestation, est si étroite que l'enfant *est* la mère. Il sera donc aussi la part de névrose qu'elle porte et son incapacité à aimer. Plus tard, il s'imbibera de la névrose paternelle.

Il aura été mal aimé malgré tout l'*attachement* que lui auront porté sa mère et son père.

Une mère anxieuse, inquiète, souffrante communiquera cette souffrance à son enfant. Celui-ci, pour ne pas la ressentir, se coupera de la *sensation d'exister.*

Voici où se cache la trahison. La mère donne la vie, mais ce qu'elle est véritablement amène son enfant à se couper de la sensation d'exister et, avec elle, de toute joie de vivre, créativité, faculté d'aimer et de jouir de son corps, mais aussi de toute conscience de sa nature spirituelle. L'enfant se sent *coupé du Tout;* c'est là le manque d'amour primordial, à l'origine de l'angoisse et de l'incapacité d'aimer.

La carence maternelle prend, chez l'adulte, la forme du refus d'exister pleinement, du refus de vivre à des niveaux énergétiques élevés et surtout de l'incapacité à se *relier,* à mener une vie spirituelle. Je ne parle pas ici de religion sociale, des croyances et des dogmes, mais de spiritualité, d'une compréhension profonde du sens de l'existence au-delà de ses aspects incarnés, matériels.

L'être suffisamment pacifié pour pouvoir se livrer à la méditation bouddhique ou tantrique peut faire cette expérience extraordinaire. Il ressent que la Vie est Amour. Cette sensation est indicible. Cet amour-là est aussi Conscience, compréhension (au-delà du mental) de la nature même de la vie. Alors le méditant peut goûter à l'Amour véritable : Cela qui crée, Cela qui donne la Vie. Cette Énergie ou cette intention qui organise l'esprit en matière, qui structure les atomes, les plantes, les arbres, les êtres humains est Amour. «Dieu est Amour» nous dit la Bible.

L'enfant est issu de cette Énergie, de cette intention. Dans le ventre de la mère, il en conserve le souvenir. Il est possible de revivre ces instants grâce à la respiration holotropique et au *rebirth*. C'est ce qu'on appelle l'extase océanique ou apollinienne.

Le rôle de la mère serait de permettre à l'enfant de s'incarner pleinement, sans rompre totalement le lien avec l'état de béatitude qu'il a connu dans son ventre, reflet de la sérénité de l'Esprit. Cette sérénité (*ananda* en sanskrit), c'est la sensation de l'Amour, non l'amour émotionnel, l'attachement, mais la *sensation totale de la Vie*.

Exister pleinement, c'est connaître une totale sérénité, un contentement absolu, c'est vivre dans l'amour. Être totalement assouvi. Le *manque* est l'opposé de la satiété. Le manque d'amour véritable coupe l'enfant de toute possibilité de contentement ultérieur. Une carence maternelle implique une incapacité spirituelle qui se traduira par la sensation terrible d'un *manque* absolu, existentiel, dont le manque d'amour incarné n'est que le reflet.

L'angoisse la plus profonde naît de la rupture du lien avec l'Esprit ou Dieu ou le Tao. Peu importe le nom que l'on donne à cette dimension que l'on ne peut appréhender par la pensée logique, donc les mots. Bien peu d'Occidentaux la ressentent, se sentent liés à elle. C'est qu'ils sont victimes du manque d'amour.

Les religions sont des tentatives d'organiser la spiritualité afin qu'elle soit acceptable socialement. Ce sont aussi des trahisons du fait spirituel au profit d'une idéologie, d'une vision politique d'organisation de la vie en société, toute activité qui relève du mental et non de l'Esprit.

Re-présenter, nommer Dieu, c'est le trahir, c'est quitter le domaine du spirituel pour celui de la pensée discursive. «Rencontrer Dieu», c'est en avoir l'expérience directe, qui est indicible, c'est rencontrer l'Amour constructeur de la Vie.

La Mère idéale est représentée dans la religion catholique par la Vierge Marie, l'*Immaculée Conception*. Elle est la mère archétypale qui a donné le jour à l'Homme parfait, le Christ, totalement humain et totalement divin.

«L'*Immaculée Conception*», la Vierge, fut elle-même, dès sa naissance, parfaite, sans tache, sans souillure, c'est-à-dire sans névrose. Mais également sans «tâche» à accomplir sur terre, selon la tradition qui veut que le passage de l'être humain dans le monde incarné soit un processus de travail, d'enrichissement spirituel. Selon Jung, toute névrose vient du refus d'accomplir cette tâche, le refus de confronter la souffrance et d'en tirer les leçons qu'elle contient. La Vierge, personnage archétypal chargé de Sens, est supposée avoir accompli ce travail sur elle-même; elle est donc supposée avoir été totalement équilibrée. Elle pouvait être totalement aimante. Marie fut une mère parfaite, libre d'émotions négatives refoulées ou de manques affectifs, qu'ainsi elle ne projeta pas sur son enfant. Et à Mère parfaite, Fils parfait, le Christ, dont le message fondamental fut : «Dieu est Amour, la Vie est Amour.»

Chez l'être humain «normal», le manque de cette Mère-Amour conduit à une angoisse existentielle incompréhensible par la pensée logique puisqu'elle est de nature spirituelle. Afin de ne pas la ressentir, il se coupera de ses sensations, se retirera du jeu de la vie. Il mourra donc un peu par manque d'amour. Pas d'Amour, pas de Vie.

On place symboliquement la sensation de l'Amour universel dans le cœur. «Ouvrir son cœur», c'est s'ouvrir si totalement que l'être englobe tout ce qui l'entoure, le connaissant, le comprenant, le possédant symboliquement, étant en *communion* avec la vie. «Fermer son cœur», c'est se rétrécir, couper toute communication, se ratatiner à la dimension de son seul corps et de son seul mental.

L'éducation, en niant l'être de l'enfant, en l'amputant de sa liberté, l'amène, devant tant de souffrance, à «fermer son cœur», à couper peu à peu ses communications avec le domaine de l'Amour, du spirituel, mais aussi de l'Autre. Dans certains cas, cela va jusqu'à l'autisme, l'enfermement complet, une totale incapacité à communiquer et à aimer. Cela donne une société d'êtres humains aux «cœurs fermés», réfugiés «dans le mental», matérialistes, car incapables de combler leurs manques affectifs autrement que par les substituts de la consommation, du pouvoir, de l'argent. Ils sont capables des pires atrocités, car, coupés du cœur, ils ne ressentent plus aucun sentiment et sont susceptibles, en toute bonne conscience, de conduire quelques millions d'êtres humains dans les fours crématoires ou les camps de Sibérie.

Fascisme et communisme n'auraient pu voir le jour dans une société d'hommes sensibles. Seul le refoulement de la sensation du manque d'amour permet à l'être humain de commettre de telles atrocités.

Le manque dans le couple

Une femme coupée de ses sensations ne sera pas une amante sensuelle, bien évidemment. Elle ne montrera qu'une tendresse et une affection conditionnelles, destinées à obtenir de son conjoint qu'il comble son manque affectif. Elle n'apportera pas la part féminine dans la relation, la sensibilité, l'attention portée à ce qui est véritablement essentiel, cette «intelligence du cœur» qui éloigne de la souffrance et qui s'avère si difficile à définir, car elle touche à l'existentiel, au spirituel. Cela qui se situe au-delà des mots.

Notre société produit beaucoup de ces femmes à une féminité de surface. Elles sont tellement intégrées au système de production et d'organisation patriarcale qu'elles en ont adopté les valeurs.

Afin de «réussir» dans ce monde dirigé par des hommes, elles introjectent le désir de pouvoir, de réussite, l'absence de sentiments, les règles malsaines du jeu des mâles. Elles trahissent leur féminité, qui consisterait à proposer d'autres règles, basées sur le sentiment, la sensibilité, l'expression des émotions.

Ces femmes «contre-nature» sont légions, dures et rigoureuses au travail. Cependant, elles paient le prix de leur réussite sociale : elles ne sont plus elles-mêmes. Exactement comme l'enfant qui, afin de s'intégrer au monde que lui proposaient les adultes, a accepté de renoncer à être lui-même et s'est trahi.

Dans le cabinet du thérapeute, ces femmes découvrent qu'elles ne savent plus véritablement aimer. Afin de combler leurs manques affectifs, elles peuvent être des partenaires sexuelles passionnées, reprenant en cela une attitude typiquement masculine : le sexe en tant que substitut de l'amour. C'est ce que l'on appelle une «surcompensation» : en faire trop dans l'espoir de combler un manque dont on n'a pas une claire conscience. Mais ces femmes n'osent plus suffisamment «lâcher prise» pour rencontrer l'amour. Ce serait lever le refoulement, rencontrer leurs émotions et leur manque d'amour.

Une femme coupée de ses sensations et donc de son intelligence intuitive ne connaîtra pas ses besoins réels, ne percevra pas son partenaire, en choisira souvent un qui ne lui fournira pas ce qu'elle veut, lui proposant autre chose qu'elle ne veut pas. Elle lui reprochera alors «son manque d'amour», «son manque d'attention à ses désirs», tout en étant incapable de *ressentir* ce qu'elle recherche au plus profond d'elle-même et de le lui faire savoir clairement. Rage impuissante du partenaire à qui l'on reproche de ne pas donner ce qu'on ne lui a pas demandé!

Chez l'homme le manque de la mère se traduit par une absence quasi totale du monde féminin dans son univers mental. Presque plus de sensibilité, d'intuition, de sens artistique et bien sûr de spiritualité. Cela produit un bon directeur, un bon ingénieur, un bon soldat, mais pas un amoureux sensible ni un bon père. Il peut faire un bon mari, si la femme, ayant perdu elle aussi la plus grande part de sa féminité, réduit le rôle du couple à l'organisation de la vie matérielle et la satisfaction des pulsions sexuelles. Ce type de couple matérialiste est fort répandu dans notre société.

L'ignorance de l'univers féminin conduit l'homme à une sorte de crainte/fascination de la femme. Il tentera de résoudre ce mystère par une exploration vagabonde, accumulant les conquêtes sexuelles (le mot «conquête» est révélateur. On conquiert une citadelle, un objet!) sans se rendre compte que ce qu'il cherche, c'est l'Amour que sa mère ne lui pas donné. Symboliquement, il fera donc sans arrêt l'amour avec sa mère, se heurtant au tabou de l'inceste. Ce «passage à l'acte», cette matérialisation d'un désir inconscient provoquera chez lui l'angoisse de l'inceste, que Freud appela «angoisse de castration», l'attente du châtiment, par le père et la société.

Parallèlement, le manque a induit chez lui une immense colère qui se déverse parfois sur ses partenaires féminines qu'il assimile inconsciemment à la mère. Cela donne l'image classique de l'homme passionné, parfois tendre alors qu'il cherche à combler le manque; parfois violent lorsqu'il ressent la frustration.

Le manque du père

Chaque être humain porte en lui deux parts. L'une est féminine, l'autre est masculine. Chez l'homme et la femme équilibrés, la part majoritaire correspond au sexe physique.

Cependant, ils sont tous deux conscients de posséder également une part minoritaire appartenant au sexe opposé. Ainsi, une femme épanouie fera preuve de cœur, de sensibilité, d'intuition, de sens de l'esthétique, toutes qualités liées au monde féminin, mais sera également capable d'entreprendre, d'agir, de créer et de faire preuve de courage. Tandis que l'homme accompli, lui, reconnaîtra sa part féminine de cœur, d'intuition, de sensibilité, mais surtout sera doté de la volonté, du courage, de l'esprit d'entreprise et d'une logique rationnelle susceptible de lui permettre d'*incarner sa sensibilité* et d'agir sur la matière.

L'homme archétypal, c'est le chasseur, l'architecte, le tailleur de pierre, le potier, le bûcheron, le boucher, le marin-pêcheur. Ceux qui œuvrent à la survie, ceux qui organisent la matière.

«L'homme sans père» éprouvera des difficultés à s'incarner, à se réaliser. Il manquera de réel courage, de volonté, de dynamisme, d'autorité. Bien sûr, il pourra surcompenser en se fabriquant un masque de «macho», de guerrier. Il commandera avec arrogance; prendra des risques inutiles; partira en guerre; collectionnera les armes.

Il se cherchera un père symbolique de substitution dans l'image d'un champion de foot, d'un homme politique, d'une vedette de cinéma ou bien d'un gourou.

Angoissé de ne pas se sentir vraiment «homme», il surcompensera dans le domaine de la sexualité. Enfant, il comparera la longueur de son pénis avec celui de ses petits camarades; adulte, il s'achètera la voiture la plus puissante, «phallique» et collectionnera les amantes d'une façon obsessionnelle. Mais sa sexualité restera totalement génitale, une sexualité pressée à consommer de suite, dans la pulsion incontrôlée, parfois brutale, accompagnée de bien peu de sensibilité.

Qu'il est triste le rôle orgastique du macho!

Qu'elle est triste et frustrée, sa partenaire!

Tout cela pour montrer qu'il est un homme! C'est donc qu'il en doute? On n'éprouve pas le besoin de faire étalage de ce que l'on a la certitude d'être.

L'amour du père pour son enfant, tout particulièrement son fils, consiste à le guider dans l'apprentissage du monde incarné, complétant ainsi le travail de la mère qui a enfanté un être sans le couper de sa source spirituelle, la source d'Amour. C'est au père qu'il appartient de montrer au fils comment *agir*, comment *faire*, comment *fabriquer*, de l'emmener à la pêche ou en camping, de lui faire visiter des usines, des musées technologiques, de lui permettre de pratiquer un sport, d'en faire véritablement un *être-au-monde*, un être solidement incarné qui pourra matérialiser autour de lui l'amour que sa mère lui a transmis. Cet homme accompli, à la fois solide et sensible, soucieux de ses responsabilités mais joyeux aussi, fiable en affaires mais sachant prendre le temps de vivre, puissant et tendre, cet homme-là auquel rêvent les femmes, hélas, est rare.

Le père a manqué, il n'a pu donner ce qu'il ne possédait pas.

La «fille sans père», elle, portera une image négative de l'univers masculin perçu comme un monde de brutes matérialistes détenant le pouvoir. Elle sera cependant attirée par l'énergie masculine, car c'est l'énergie de l'incarnation, celle qui permet d'organiser la survie pour elle-même et ses enfants. La femme, porteuse du Sens, de l'Esprit, a besoin de l'énergie masculine pour accomplir sa tâche, qui est d'*incarner* l'Esprit.

Elle a besoin que l'homme éveille la part masculine qu'elle porte en elle. Malheureusement, si l'image de l'univers masculin que lui a léguée son père est négative, elle ne pourra accepter de fusionner avec un homme *et surtout* de développer sa propre part masculine sans trahir sa féminité. Elle rejettera l'énergie masculine dont elle ne peut pourtant se passer.

Les dégâts que causent les manques du père et de la mère dans le couple sont effrayants. Rappelons tout d'abord que les deux partenaires ne sont pas *adultes*. Ils sont encore des enfants dans l'attente de «recevoir leur dû» d'amour. Ils ne sont pas non plus *conscients*, car ils refoulent la souffrance du manque d'amour et la colère contre le parent (en général du sexe opposé) qui n'a su combler l'enfant qu'ils furent et continuent à porter en eux.

Nous avons donc affaire à deux enfants inconscients en colère qui se prennent pour des adultes logiques et amoureux!

La femme ne trouvera pas chez son partenaire l'homme archétypal, puissant et tendre, dont elle porte le manque; l'homme ne trouvera pas chez sa partenaire la femme archétypale qu'il recherche, sensible, sereine et sûre d'elle-même dans sa féminité.

Frustrés à nouveau, mais ne sachant pas pourquoi, les deux amants vont tenter de trouver une explication logique à leur colère. Ils prendront toutes celles qu'ils trouveront et, au besoin, en inventeront. Mais en définitive, la solution sera unique : il leur faudra prendre conscience du manque de la mère et du père, puis réparer ce manque et se «donner naissance à eux-mêmes» en retrouvant leurs parts masculine et féminine; atteindre à l'Homme, à la Femme accomplis, être à eux-mêmes leur propre Père et leur propre Mère.

Chapitre IV
L'Amour et la Haine

Nous avons dessiné peu à peu une théorie de l'être humain, esprit incarné afin d'accomplir une mission qui consiste à devenir un être spirituel matérialisé élevant sans cesse son niveau de conscience. Toute interruption du processus lui sera douloureuse.

Nous avons vu aussi que l'Amour, c'est la Vie et tout ce qui contribue à la développer. La souffrance, c'est le manque d'amour, c'est-à-dire l'impossibilité de suivre le flux de la vie. Ainsi, l'éducation parentale maladroite qui contraint l'enfant à ne pas être lui-même, à ne pas se respecter en tant qu'être libre, autodéterminé et individué lui sera source de souffrance.

Afin de survivre, celui-ci se coupera de ses sensations, car le niveau de cette souffrance est trop élevé pour être supportable. Il se coupera du sentiment de son existence, donc de la vie, donc de l'amour, et ne pourra accomplir sa destinée qui est de vivre, en toute conscience, l'amour. C'est en ce sens que nous parlons du manque d'amour transmis par les parents, avant même de considérer leur névrose ou d'éventuels mauvais traitements.

Aimer, c'est accepter la vie, accepter ce-qui-est, ne pas vouloir changer l'être de l'Autre, qu'il soit conjoint ou enfant pour le rendre en mesure de satisfaire nos propres besoins.

Très peu d'adultes sont capables d'un tel amour *inconditionnel* pour leurs enfants ou leur partenaire dans la vie. C'est pourquoi le mal-être est si répandu dans nos sociétés. La plupart des individus ont subi les interdictions parentales à être eux-mêmes.

C'est leur *survie*, en tant qu'êtres spirituels, qui était menacée. Or, comment réagit tout système vivant envers ce qui le menace? Par l'agressivité bien sûr, seule action susceptible d'assurer la survie en cas de danger. L'agressivité est une irruption soudaine d'énergie destinée à confronter ou fuir un danger, quelle qu'en soit la nature. Elle peut prendre de multiples formes : l'attaque, l'esquive et même la fuite, grande consommatrice d'énergie.

Le bébé, lui, s'il souffre, hurle. Il ne peut frapper, ne peut fuir, ne peut rien. Il est totalement impuissant. Le seul exutoire à son agressivité, c'est la voix. Et Dieu sait si l'énergie contenue dans son cri est puissante, comparée à sa taille. Le parent, furieux, réprimera cette saine réaction. Le bébé tournera alors son agressivité contre son bourreau qui nie son besoin vital. Par exemple, il avait soif, il a hurlé, l'adulte est venu et, ne pouvant comprendre la raison de ces cris par manque de sensibilité, (il a le «cœur fermé», peu d'intelligence intuitive) ne soulage pas la soif et le punit de ses cris.

Le nourrisson reporte donc la responsabilité de la souffrance de la soif et celle de ne pas avoir été compris sur le parent qui est intervenu mal à propos.

Il s'agit là d'un manque d'amour. Fondamentalement, il s'agit de l'incapacité à percevoir le besoin de l'Autre. Le bébé va se mettre, à juste titre, en colère.

Il faut avoir revécu, grâce au *rebirth* ou à la thérapie primale, ces colères d'enfant pour prendre la pleine mesure de leur violence dévastatrice. Dans sa colère, le bébé fantasme la destruction du parent; poussé par des comportements inscrits au plus profond de son cerveau limbique, il l'«attaque» pour se défendre.

Ce faisant, il cherche à détruire la source de sa survie, la mère ou le père supposés être source de l'Amour.

Il a donc le choix (symbolique) entre «attaquer» pour survivre et détruire la source de sa propre survie ou bien refouler sa colère. Ce qu'il fait. Accumulée, elle se transformera peu à peu en une haine inexpiable, totalement inconsciente, puisque précisément elle ne perdure qu'à cause du refoulement. Cependant, ce souhait d'éliminer le parent, source de souffrance et aussi d'amour, représente une contradiction intolérable pour le bébé. Il provoquera un sentiment de profonde culpabilité. L'enfant se sentira coupable du ressentiment qu'il éprouve envers le parent géniteur qui représente la vie.

L'anxiété, conséquence logique de ce paquet de contraintes contradictoires (survie/non-survie; amour/souffrance; colère/culpabilité) viendra poursuivre le cycle, accompagnée de la peur du châtiment qui ne saurait tarder. Et ceci ne manque pas puisque le bébé est assez vite menacé d'une façon explicite ou tacite de perdre l'«amour» maternel, ce qui équivaut pour lui à une condamnation à mort.

De toute façon, il est perdant à tous les coups. C'est à devenir fou, n'est-ce pas? Eh bien, c'est ce qui finit par arriver. On appelle cela névrose, paranoïa, schizophrénie. Mais ce ne sont là que des étiquettes. La racine du mal-être est toujours le manque d'amour.

Il ne faut pas oublier non plus que le bébé grandit en introjectant les injonctions parentales. Ceux-ci sont en effet ses seules sources d'information sur le monde où il vient de s'incarner. Ce qu'ils communiquent, de façon consciente ou pas, représente la réalité pour le bébé.

S'ils lui communiquent le jugement «Tu es mauvais», alors le bébé aura été introduit, de façon inconsciente, dans une réalité où il «est mauvais». Cette réalité-là servira de fondation à *toutes* ses autres réalités. Sa croyance de base sera «Je suis mauvais». Découvrir puis se libérer de ces croyances-là est la tâche la plus ardue de toute psychothérapie.

Se considérant comme «mauvais», puisque en colère contre la mère ou le père, le bébé ne peut s'aimer lui-même. Là gît l'origine du manque d'amour pour soi-même, de la valeur que l'on ne s'accorde pas et de toutes les stratégies d'échec et d'autopunition.

Le «crime» du bébé est d'éprouver une saine colère devant l'insatisfaction de ses besoins, faute de parents suffisamment sensibles pour s'occuper intuitivement de leur bébé. Autrement dit, son crime est d'être là, d'exister.

Bien sûr, l'exemple que j'ai pris est caricatural dans sa simplicité. Cependant, répété sous de multiples variantes (non reconnaissance du besoin d'expression, de création, d'exploration, de contacts physiques, de dialogue, d'écoute, etc...), il suffit à bâtir un solide cycle pervers.

Manque d'amour = souffrance = agressivité refoulée = haine refoulée = culpabilité = peur de perdre = angoisse = dévalorisation de soi-même = autopunition.

C'est ainsi que l'on fabrique des masochistes et des «ratés» pour la vie. Et aussi des amants, des conjoints pour qui la relation mettra à nouveau en branle le «cycle du désamour». Incapables de ressentir et d'exprimer leurs besoins réels à cause du refoulement de leur haine, ils ne recevront pas ce qu'ils ne savent pas désirer, la compréhension et l'acceptation de leurs besoins, de ce qu'ils sont, l'Amour, et retrouveront une situation douloureuse déjà vécue dans l'enfance. Ce qui déchaînera la haine refoulée, ayant acquis une énorme puissance. Soit ils passeront à l'acte et exerceront une violence quelconque sur leur conjoint, sans percevoir clairement ce qui est en jeu, soit ils la refouleront à nouveau. Dans les deux cas, la haine s'accroîtra encore et, avec elle, les sentiments d'angoisse, de culpabilité, de dévalorisation qui mèneront tout droit à l'autopunition : la faillite de toute relation amoureuse.

Le cycle se répétera encore et encore, bien établi dans une spirale infernale, la haine s'accroissant peu à peu et, avec elle, le mal-être, jusqu'à ce que l'être humain abandonne toute recherche d'amour, n'ayant plus d'énergie disponible. Celle-ci est tout entière consacrée au refoulement et consommée par la névrose.

Cette spirale infernale, ce cercle vicieux est destiné à perdurer. En effet, l'être en quête de l'amour parental n'en est pas conscient. Il attendra de son partenaire quelque chose dont il ignore lui-même avoir besoin. Il ne le recevra donc pas. Et le cycle recommencera, accru de la puissance d'un nouvel échec. C'est ce que Freud a appelé la «compulsion de répétition», la tentative sans cesse renouvelée visant à obtenir ce que l'on désire au fond de soi et qui n'est pas clairement perçu. Tentative, bien sûr, vouée à l'échec.

Pour avoir ce que l'on désire, il faut d'abord savoir ce que l'on désire. Il faut pouvoir ressentir; ne plus refouler.

La seule solution pour sortir du piège consiste à prendre conscience de la haine/amour que l'on voue à ses parents. Cela n'est pas facile... Si l'on y parvient, alors on s'en libérera et pourra enfin accéder à l'amour.

Le seul obstacle à l'amour, à l'accomplissement de l'Être, à la sérénité, au bonheur, à la joie de vivre, c'est la haine refoulée. La seule façon de nouer des relations harmonieuses au sein du couple, c'est de se libérer de cette haine que nous ignorions. *C'est soi-même qu'il s'agit de changer et non notre partenaire.* Notre environnement n'est pas responsable de notre souffrance. C'est nous-mêmes, et nous seuls, qui la portons en nous. C'est nous seuls qui pouvons en sortir, par le simple fait d'en prendre conscience. Alors elle se dissout, car elle n'est plus d'actualité.

Nos parents sont ce qu'ils sont, ils ont fait du moins mal qu'ils ont pu, et même pour la plupart, du mieux qu'ils ont pu.

Rester enfermé dans l'ignorance de la haine refoulée, c'est se condamner à ne pas se comprendre soi-même, à ne pas comprendre les autres, à ne pas comprendre la vie, à rester dans l'inconscience. Le développement naturel de tout être humain le pousse vers toujours plus de conscience, c'est là son véritable but existentiel et la condition de son bonheur. Se condamner à l'inconscience, c'est se condamner à la souffrance, car la souffrance est provoquée par un refus de se laisser porter par le flux vital qui mène à la Conscience.

La souffrance

La souffrance est le précieux signal qui nous indique que quelque chose en nous, pensée ou action, va à l'encontre de notre élan vital naturel, de notre progression vers la Conscience, de notre harmonie intérieure.

Je possédais autrefois un bateau très puissant dont les moteurs étaient équipés de systèmes de protection automatiques. Lorsque j'utilisais mal la puissance de ces moteurs, la mécanique «souffrait», c'est-à-dire qu'elle fonctionnait en dehors du cadre pour lequel elle avait été conçue. Une sonnerie retentissait alors. Je baissais la vitesse de mes moteurs, soucieux d'éviter de faire «souffrir» ces engins, sous peine de panne.

La «sonnerie», chez l'être humain, est la *sensation* de la souffrance. Cependant, le refoulement qui consiste à se couper des sensations ne lui permet plus d'entendre le signal. Il est sourd à lui-même. Il ne dispose plus des signaux qui pourrait lui signifier qu'il est en train de se tromper. Il est «absurde», de *ab-surdus* = sourd. Il ne s'entend plus lui-même, ne communique plus avec lui-même. N'étant plus conscient de ses sensations, il ne peut non plus percevoir clairement le monde extérieur et agir avec un amour véritable.

Dans un couple, il ne «verra» pas, n'«entendra» pas son partenaire. En effet, il ne sera pas véritablement *présent* parce qu'il ne communiquera que faiblement avec son environnement. Il sera «ailleurs», perdu dans son monde intérieur, plongé dans l'obscurité, puisqu'il ne se perçoit pas non plus lui-même! Il ne sera pas dans *le temps présent* puisque son attention sera pour sa plus grande part «coincée» dans des épisodes douloureux du passé, restant dans l'attente que quelqu'un ou quelque chose vienne combler ce manque qu'il ressent vaguement, souffrant énormément mais ignorant la signification de cette souffrance.

Il est illusoire, compte tenu du fait que les deux partenaires sont très généralement dans la même situation, d'espérer qu'ils pourront communiquer. Ils utiliseront ce qu'il leur reste d'énergie pour «gérer au mieux», pour «faire au moins mal», pour «faire de leur mieux». Comme leurs parents l'ont fait avant eux. Avec le même résultat pour leurs propres enfants et leur conjoint.

La véritable cause de l'absurdité des hommes, qu'ils ont coutume d'appeler l'«absurdité de la vie»(!), est leur incapacité à s'entendre eux-mêmes, à percevoir leurs sensations, à ressentir. *L'absurdité, c'est le refoulement.*

Les relations de couple deviennent *absurdes* quand les partenaires ne ressentent pas leurs véritables besoins ou ne ressentent pas clairement à qui s'adresse la colère qu'ils éprouvent, la projetant alors sur leur conjoint.

Toute conduite absurde a pour cause le *refoulement des sensations.* Une personne *sensible* reçoit de son environnement une infinité de signaux qu'elle accepte de voir, d'écouter. Cela lui donne cette intelligence subtile qu'on appelle *intuition*, que je préfère nommer *intelligence du cœur.* Une telle personne est capable de traiter avec sa raison logique (son mental) un nombre incroyablement plus élevé de signaux informatifs très subtils qu'une personne «refoulée», coupée de ses sensations.

Les personnes «ab-surdes», faute d'être guidées par leur sensibilité, ont des comportements dictés par les automatismes, les règles, les tabous, les bienséances sociales stockés dans le mental qui, chez elles, remplacent l'intelligence du cœur. Elles ont perdu la perception du Réel, du Divin, de l'Amour. Ce sont des robots fonctionnant correctement au sein d'une société elle-même robotique. Elles mettront au monde des robots.

Dans un couple, un partenaire coupé de ses sensations fera appel à quantité de «il faut», de «cela ne se fait pas», de «tu dois», de «c'est pas normal», de «un mari se doit de» au lieu de dire : «Je ressens...»

L'unique clef du bonheur dans le couple est là : *ressentir pleinement ses sensations, les exprimer et accepter que l'autre ressente et exprime les siennes propres.*

Pour ressentir, il faut se libérer du refoulement et pour se libérer du refoulement, il faut percevoir la haine primordiale. Se libérer de la souffrance, c'est se libérer de la haine, du refus de ce qui a été. Alors, les portes de l'amour s'ouvriront. Et l'Amour, c'est la Vie, le Divin en soi.

Se libérer de la haine

Quelle est la pulsion fondamentale à laquelle obéissent tous les êtres vivants, qu'ils soient végétaux, animaux, humains? À laquelle aucun ne déroge? Survivre, bien sûr. Créer la vie. Entretenir la vie. Utiliser la vie pour produire encore plus de vie, allant sans cesse vers des niveaux organisationnels plus élevés, vers plus de conscience.

Ainsi le plancton est-il détruit pour nourrir la sardine, avalée par le thon qui finit dans l'estomac de l'homme. Ainsi le grain de blé donne-t-il lui aussi la vie à l'homme. De même, tous les animaux éprouvent une pulsion incoercible à se reproduire par la sexualité.

C'est aussi ce que les parents idéaux donnent à leurs enfants : les mettre au monde et les laisser vivre, être eux-mêmes. Ils n'en attendent rien d'autre que le bonheur d'avoir perpétué et développé la vie. Ils donnent sans rien attendre en échange. C'est l'Amour.

La loi fondamentale de tout être humain peut donc se nommer Amour. Acceptation de la vie telle qu'elle est, production de vie. Or, nous avons vu que la souffrance est un signal qui indique à l'être humain que ses pensées ou ses actions vont à l'encontre de sa mission essentielle. S'il souffre, c'est qu'il contrevient à la loi fondamentale : l'Amour/Vie. Qu'est-ce qui empêche l'amour? La haine. La destruction de vie. La haine est donc la première cause de la souffrance. Or, énergétiquement, comment se manifeste la souffrance? C'est l'immobilisation d'une énergie; c'est le refoulement. On souffre de ne pas exprimer une émotion, de bloquer un flux énergétique, de *refouler ses sensations*, de bloquer la vie, qui est énergie. La Vie est un *flux*. Le bloquer, c'est souffrir, puis mourir.

La haine immobilise le flux vital. Ressentir l'émotion refoulée, libérer le flux énergétique, c'est retrouver l'énergie, la vie, l'amour.

La thérapie de l'amour est donc très simple. Il s'agit de prendre conscience de la haine refoulée que l'on éprouve pour ses parents. Se libérer de la haine, c'est retrouver toute son énergie, sa conscience, son amour.

Pourquoi les parents sont-ils d'une façon si répandue l'objet de cette haine? Parce que la personnalité de l'enfant est construite de leurs personnalités, comme son corps est construit de leurs cellules. Ils sont les créateurs et portent la responsabilité de leur création. Ceci reste un fait, qu'ils acceptent ou non de l'assumer.

Il ne s'agit nullement de les juger, de les condamner, de les accabler! Il s'agit de faire le contraire, sortir de cette haine, retrouver l'amour, arrêter de protester contre une violence que l'on a subie il y a très longtemps, arrêter de juger, de condamner, d'accabler inconsciemment. *Renaître à l'amour.*

L'amour, c'est la vie et la conscience. La haine, construite par le refoulement, c'est la mort et l'inconscience. On peut se libérer du refoulement. Il faut pour cela, comme je l'ai déjà dit, revivre la colère initiale, celle qui remonte à la vie intra-utérine et aux premières années. On tombera alors fatalement sur les parents ou leurs substituts, si ceux-ci sont décédés peu après la naissance. La thérapie aboutira au «pardon», à la libération de la charge émotionnelle négative refoulée, véritable poison qui détruit la vie.

«Pardonnez nos offenses comme nous pardonnons à ceux qui nous ont offensés.» Pardonner, c'est se libérer de la culpabilité et de la haine dont nous avons vu en quoi elles étaient indissociables. Il ne s'agit nullement d'absoudre le bourreau. Les actions qu'il a perpétrées contre l'enfant étaient objectivement néfastes et le restent. Il s'agit simplement d'accepter à la fois le fait que l'on ait subi cette violence et le fait que l'on ait réagi par une violente protestation refoulée.

Ne plus avoir peur de soi-même, de ses sentiments, de leur violence. Ne plus se juger, ne plus se condamner soi-même, c'est cela le pardon.

En fait, le mot «haine» pourrait être remplacé par l'expression : «protestation de l'enfant contre les actions parentales qui ont nui à sa survie physique et spirituelle». Ce qui serait un peu long... Ce mot «haine» paraîtra exagéré à bien des lecteurs. Cette réaction est bien naturelle puisque la haine est *refoulée*. Ils ne peuvent s'autoriser à la ressentir. Le simple fait qu'elle soit mentionnée restimule la souffrance du refoulement et son déni.

«Tes père et mère honoreras»

Résumons : La pulsion fondamentale est survivre. Voilà qui s'applique à tous les êtres vivants.

Mais qu'est-ce qui fait la spécificité de l'être humain? Il est *conscient*. Pour lui, vivre, c'est aller vers toujours plus de conscience. La loi fondamentale devient dès lors, pour l'être humain, *développer son potentiel de conscience*.

Développer la vie revient à accroître *sa conscience*. Or, la Vie, c'est l'Amour. L'amour véritable sera donc fonction du niveau de conscience.

Il n'y a pas d'amour véritable qui soit inconscient, établi dans la *passion* (la «passion» du Christ est une souffrance). L'inconscience, c'est la mort; la conscience, c'est la vie.

On peut dire que Vie = Conscience = Amour. Les hindous expriment une notion assez proche par *sat-chit-ananda*, «Être-Conscience-Amour/Sérénité absolue».

Prendre conscience du refoulement primordial, celui qui concerne la haine que l'on voue aux parents, est l'un des points fondamentaux de l'accroissement de la conscience. Il s'agit seulement de constater. Pas de juger ou d'accabler ni soi-même ni ses parents, rappelons-le. Il s'agit de se libérer du poison de l'inconscience. Car si la haine perdure, c'est seulement parce qu'elle reste inconsciente. Dès qu'elle sera perçue, puis acceptée, elle disparaîtra au profit de l'amour-conscience.

Généralement, les patients refusent avec la plus grande énergie d'aborder ce sentiment de haine. «S'attaquer» au père et à la mère représente le crime le plus inexpiable. En effet, le nourrisson assimile la mère à la vie, nous l'avons déjà vu. S'attaquer à la vie est la faute majeure. Mais la mère et le père eux-mêmes ne sont pas la vie, ils n'en sont que des manifestations parmi d'autres. Constater qu'on porte en soi une immense colère refoulée contre eux n'est pas attenter à la vie. Au contraire, en accroissant sa conscience, on réalise un accroissement de vie, on fait un acte d'amour véritable, qui aboutira au pardon définitif. Ce qui rend l'exercice si périlleux, c'est qu'il va à l'encontre du plus solide tabou, celui qui fonde nos sociétés dont la famille est le constituant de base : la sacralisation du *rôle* des parents et de la *personne* des parents. On leur voue soit un «amour» démesuré (on y reste attaché), soit une haine refoulée, et on leur reste également attaché, bien qu'avec une inversion de la polarité. Mais on ne peut s'autoriser à les voir tels qu'ils sont. En aucun cas on ne saurait reconnaître, qu'enfant, on les a haïs. «Ce n'est pas bien». Ce n'est pas «comme il faut».

Cette sacralisation *du rôle* des parents est naturelle s'ils transmettent la vie. Mais si, par une éducation inadaptée, porteuse de névrose, ils inhibent le potentiel vital de l'enfant, alors ils ne remplissent plus leur rôle de parents.

La sacralisation n'a dès lors plus lieu d'être vis-à-vis de leurs personnes. La protestation de l'enfant porte justement sur cette erreur des parents : ne pas le laisser être lui-même, l'enfermer dans une prison mentale constituée de leurs névroses, de leurs peurs, de leurs tabous sociaux.

Cette désacralisation des parents est le principal pas que doit franchir la personne qui s'engage dans une psychothérapie afin d'aimer et se laisser aimer. L'«enfant intérieur» va pouvoir – enfin! – cesser d'idéaliser le père et la mère. Accomplissant le deuil de ses illusions, il s'autorisera à rencontrer sa haine. Il pourra alors accepter ses parents dans leur réalité. Ce qui représente l'acte d'amour le plus pur : accepter l'Autre tel qu'il est.

Alors seulement cette personne pourra véritablement aimer son partenaire dans la vie : le voir et l'accepter tel qu'il est. Le couple se construira sur une nouvelle vision de l'amour qui consiste à s'aider mutuellement à progresser vers plus de conscience, donc de bonheur, d'énergie, de joie de vivre et de vie.

Cela ne sera pas facile. C'est en effet une aventure. La plus belle de toutes, l'aventure du couple et de la famille.

Nature divine de l'Amour

Nous venons de voir que le besoin primordial de l'être humain est d'être soi-même, de s'appartenir soi-même, d'avoir la jouissance de soi-même. La jouissance de son être mais aussi de son corps : la sensualité, y compris la jouissance de l'orgasme sexuel.

Toute interdiction à être lui-même imposée par l'éducation sera source de souffrance puisqu'elle s'opposera à ce besoin fondamental. Elle sera également une inhibition énergétique, interdira la sensualité et parfois l'accès à l'orgasme.

L'être humain est Esprit incarné afin de réaliser, dans le monde manifesté, les expériences nécessaires à sa progression vers plus de conscience. Tout obstacle l'empêchant de mener à bien cette «mission» lui sera souffrance et diminuera sa pulsion vitale.

L'être humain est également un système énergétique puisque la vie est un flux. S'il laisse la vie couler librement en lui, alors il ressentira le bonheur, sera capable d'amour, de créativité, sera doté d'une très belle énergie.

Si au contraire il bloque ce flux, s'il refoule l'énergie de ses émotions, alors il va à l'encontre du flux de la vie, il sera énergétiquement exsangue, épuisé, incapable de créativité et bien sûr d'aimer, puisque l'amour est l'énergie créatrice de vie. Toute inhibition énergétique est également une inhibition à aimer. Et toute inhibition à aimer se concrétisera par une déficience énergétique.

Le *refoulement* en général, et celui de la haine primordiale en particulier, est la cause de l'incapacité à aimer et à se laisser aimer. De ce fait, il est également le principal obstacle interdisant de prendre totalement conscience de sa propre nature divine.

La guérison passe par la libération du refoulement. Non pas le passage à l'acte («je me *défoule* sur mes enfants»), mais la prise de conscience, dans un cadre thérapeutique ou spirituel, du fait que l'on se condamne soi-même de haïr ses parents.

Aimer et se laisser aimer suppose que soit levé le refoulement de la haine que voue tout être humain à ceux qui l'ont empêché d'être lui-même.

Apprendre à aimer et à se laisser aimer consistera donc à devenir peu à peu conscient de soi-même, à ressentir ses sensations et à les exprimer en toute liberté. Le refoulement est le *refus* de percevoir la véritable nature de ses propres émotions. C'est refuser de les accepter, de nous accepter tels que nous sommes. *C'est refuser ce-qui-est*, dire NON à la Vie, au Réel. La levée du refoulement est un gigantesque OUI à la vie, à l'acceptation inconditionnelle de ce qui est, tout particulièrement du conjoint, partenaire pour la vie. C'est là une porte ouverte sur la spiritualité : l'acceptation inconditionnelle de Ce-qui-est. Le refoulement est diabolique (*dia-bolein* : ce qui sépare, qui nous coupe du réel). La sensualité consciente qui nous fait percevoir le flux vital est divine. *La levée du refoulement et la capacité à ressentir constituent deux portes d'accès au Divin.*

Deuxième partie

AMOUR ET SPIRITUALITÉ

Chapitre V
L'«amour» matérialiste

D urant les cinq premiers chapitres de ce livre, nous avons découvert à quel point la souffrance du manque d'amour parental conduit les deux amants à rechercher, avant toute autre chose, l'accroissement de ce manque vécu dans l'enfance.

Ce fait induit la définition de l'«amour» romantique tel que notre société l'a développé. Celui-ci se caractérise par :

- *l'attachement* à la personne aimée qui est supposée être la seule capable de fournir la satiété demandée. L'amant est un «mendiant d'amour» *dépendant* du partenaire. Il *utilise* ce partenaire afin de soulager la sensation du manque primordial.

  De nombreux couples n'ont guère d'autre but que de s'épargner la solitude. Les partenaires espèrent ainsi ne plus ressentir leur manque. Cet espoir s'avère assez vite déçu et la «passion» retombe. C'est l'échec dû au fait que la relation était fondée principalement sur une considération utilitaire. L'Autre n'était qu'un moyen d'échapper au mal-être. Il n'était guère perçu comme un être, mais comme un outil. S'il ne remplit plus son utilité, on le jette, on ne l'«aime» plus.

  C'est ce que l'on appelle les *relations de dépendance*. Le partenaire est utilisé pour se soulager de la souffrance refoulée du manque d'amour, comme on pourrait utiliser la cigarette, la nourriture, les sucreries, la pornographie, l'alcool, les drogues illégales et les «médicaments pour les nerfs», des anxiolytiques aux somnifères, qui sont des drogues légales. Le partenaire est donc *utilisé* comme un *produit*, une drogue.

- L'«amour» romantique est avant tout une *recherche narcissique*. Le véritable problème exprimé par les personnes qui entreprennent une thérapie de couple est bien «Comment faire en sorte que mon partenaire m'aime comme je veux être aimé? Que dois-je faire pour cela?»

Rappelons que le narcissisme n'est pas, comme on a tendance à le penser, l'attitude qui consiste à trop s'aimer soi-même, mais plutôt le fait d'avoir son attention très fortement retenue par la souffrance que l'on porte en soi. Narcisse se regarde douloureusement. Il cherche tant à combler son manque au moyen du monde extérieur que celui-ci devient un simple outil sans autre existence que celle d'un moyen d'assouvissement. Pour Narcisse, le monde extérieur et l'Autre n'existent qu'en fonction de ses besoins. Narcisse n'est pas un paon qui fait la roue. Il est un être inquiet totalement absorbé par sa souffrance intérieure, son manque.

Nous avons vu qu'afin de conserver l'«amour» parental, le bébé a été dressé très tôt à *s'adapter* à la demande de l'Autre. Il a accepté de ne plus ressentir ses propres besoins, mais de répondre aux exigences des parents. Il refoule la sensation de ses besoins véritables. Il se trahit lui-même.

Adulte, il adoptera la même attitude. Il va tenter de séduire l'Autre. La première préoccupation de la personne en quête d'un(e) partenaire sera d'offrir une bonne image d'elle-même. Elle adopte les valeurs que la société estime indispensables pour être aimable.

L'homme qui courtise une femme s'habillera élégamment, l'invitera au restaurant, fera preuve de culture ou de pouvoir. Signalera l'importance de sa réussite sociale. Laissera traîner les clefs de sa Ferrari ou sa carte «Visa Premier». Son attitude sera celle du vendeur qui met en valeur le produit et tente de persuader une cliente.

La femme, elle, préparera son corps avec un soin maniaque. Sa principale préoccupation sera de déclencher chez l'homme l'instinct sexuel, le désir. Décolleté, parfums, rouge à lèvres sont les «signaux» qu'elle adopte (inconsciemment le plus souvent) pour attirer le partenaire, outre la qualité de sa conversation et, éventuellement, sa réussite sociale ou sa grande culture.

L'attitude fondamentale des deux futurs amants est de *se vendre* l'un à l'autre, au prix de leur authenticité. Parfois, ils maintiennent cette image fausse d'eux-mêmes alors que le couple est formé depuis longtemps. L'homme ne peut être authentique et se montrer fatigué, déprimé ou en situation d'échec. La femme court dès le réveil se maquiller dans la salle de bain afin que son mari ne la «voie pas ainsi» (telle qu'elle est au naturel!).

C'est dire que le rapport qui s'est établi est un rapport entre deux personnes qui ne s'accordent mutuellement de la valeur qu'en fonction de l'image qu'elles présentent. Ce sont deux *produits* que l'emballage doit «mettre en valeur».

La recherche d'«amour» s'exprime par «comment être aimé, moi», et non pas «comment *être* aimant». On voit ici que le narcissisme conduit à se trahir en construisant une image de soi apprêtée en fonction du regard de l'Autre, car, profondément, on ne s'accorde pas à soi-même une valeur intrinsèque.

• La femme et l'homme en état de recherche d'amour imaginent que leur assouvissement se cache dans la *découverte de l'être* aimé, de l'âme sœur. Les agences matrimoniales vivent de ce *commerce*. «Je suis si malheureux! Si je trouvais quelqu'un qui m'aime et que j'aime, tout irait mieux.» Le fait que la plupart des couples ne sont pas véritablement heureux ne remet pas en question cette croyance très répandue.

Non, l'amour ne se déclenche pas grâce à un partenaire. L'amour est un état. Mais les candidats amoureux s'obstinent à le rechercher à l'extérieur d'eux-mêmes, sous la forme d'un *objet*. Ils ne cherchent pas à le *créer en eux*, ce qui représente pourtant la seule et unique solution s'il est vrai que l'amour participe au Divin.

Si cela est vrai, alors il ne dépend pas d'un «objet d'amour» mais sera une énergie, une intention générée par l'être lui-même. Une personne véritablement aimante n'a pas de «problème pour trouver un partenaire». La vie les crée pour elle. *Quand l'amour est bien établi, l'amant(e) apparaît.*

La personne qui souhaite apprendre à «aimer et à se laisser aimer» devra donc se préoccuper de *devenir aimante* et non *aimable*. Elle devra apprendre à être et non tenter de s'adapter à l'Autre en échange de son affection.

«Apprendre à aimer?» Eh oui, aimer s'apprend! Cela exige un effort sur soi: la progression vers la conscience. Nous faisons une quantité incroyable d'efforts pour combler notre manque affectif primordial à l'aide d'objets, de pouvoir, de richesses. Nous passons jusqu'à vingt années à étudier, puis environ trente à travailler pour nous offrir un monceau d'objets et d'activités qui n'ont d'autre utilité – au-delà de leur rôle de survie primaire, vite rempli – que de soulager la souffrance du manque affectif, le sentiment de solitude, la névrose, la dépression.

Pourquoi ne consacrerions-nous pas quelque temps, quelques efforts à devenir aimants? À recouvrir la *faculté* d'aimer? Après tout, mieux vaut tenter d'obtenir la chose elle-même qu'un ersatz. Évident, non?

Tellement évident que notre société matérialiste fait précisément l'inverse. Elle rend à peu près impossible l'accès à l'Amour afin de produire et consommer de plus en plus de produits et de services substitutifs à cet Amour! La publicité nous dit assez à quel point les objets que nous achetons sont pour nous objets d'amour. Mais l'amour marchand n'a jamais comblé le manque d'Amour.

Amour et société

Notre société est devenue de plus en plus complexe. Dans les cultures traditionnelles, comme il en existe encore en Asie et en Amérique du Sud, les relations d'échange sont relativement simples. Ainsi, le potier fabrique des objets, puis se rend au marché pour les vendre et, avec l'argent obtenu, achète du poisson au pêcheur, des légumes et du grain à l'agriculteur, du savon au marchand.

Il se perçoit en tant que «potier» et *incarne* cette identité. Les pots dont se servent ses voisins ont, de façon absolument certaine, été fabriqués par lui. Il peut le constater chaque jour. C'est une réalité matérielle. Si la fantaisie lui prend de changer la forme de ses poteries, il devra en supporter les conséquences, que celles-ci s'avèrent positives ou négatives. *Responsabilité et sensation d'exister sont étroitement liées.*

Notre homme conserve une responsabilité totale sur sa fonction, son rôle, la place qu'il tient dans son village. Il peut être certain de son existence sociale puisqu'il en supporte la *responsabilité*.

Ce lien direct de responsabilité sur son environnement l'aide grandement à se situer en tant qu'homme dans le monde qui l'entoure. Il se *structure* à travers sa capacité à travailler la matière, à l'organiser en une *culture* humaine.

Dans notre société, la complexité de la production est devenue telle qu'une nouvelle fonction s'est développée, envahissant la plus grande part du champ économique : la bureaucratie. Il s'agit de la fonction de ceux qui n'exercent pas directement des activités matérielles, mais accomplissent des tâches d'organisation ayant un rapport plus ou moins lointain avec celles-ci. De nos jours, très peu d'activités de fabrication sont directes. Dans l'industrie moderne, plus aucun ouvrier ne fabrique à lui tout seul un objet manufacturé. Le travail s'est parcellisé en une multitude de tâches dont l'ouvrier ne connaît pas toujours l'utilité exacte. Le «patronat capitaliste», lui aussi, disparaît peu à peu. Ceux qui gèrent les entreprises sont des salariés comme les ouvriers et les ingénieurs. Ils ne manipulent pas leur propre argent et ne supportent pas vraiment les conséquences de leur gestion; certains directeurs peuvent perdre des milliards et... se voir récompenser par un autre poste!

Le «capital» n'est plus la propriété de quelques familles mais celle d'innombrables actionnaires. Ceux-ci ne gèrent pas non plus directement leurs biens financiers, mais en délèguent le pouvoir à des cabinets spécialisés.

Ainsi un nombre sans cesse croissant d'acteurs économiques sont-ils peu à peu déconnectés de leurs responsabilités qui se diluent dans le labyrinthe bureaucratique. Ils perdent leur autonomie de décision et tombent sous la dépendance d'autres personnes qui décideront ce qu'ils doivent faire, à quel endroit, pour quel prix, et quand ils pourront prendre des vacances ou partir à la retraite.

Cette dilution de la responsabilité élimine la *liberté* de l'être humain, son *identité*, son sentiment d'exister en tant qu'être incarnant ses intentions dans la matière. Il devient un rouage dépersonnalisé, une pièce mécanique interchangeable : un objet.

Naturellement, personne ne se reconnaît comme tel. Ne sommes-nous pas en France, le pays de la liberté individuelle? Cependant, chacun vaque à ses occupations, accepte d'être commandé sans discuter, d'exécuter les tâches qu'on lui impose, de jouer le jeu social, de *fonctionner* sans heurt et sans «causer de problèmes».

C'est pour cela que les parents sont si soucieux de brider les élans créatifs de leurs enfants. L'adaptation au type de société qui est le nôtre suppose un dressage sévère, bien plus sévère que celui auquel sont soumis les enfants d'autres cultures. Le manque d'amour en est la conséquence. Il poussera toute une société insatisfaite et frustrée à rechercher dans la consommation un substitut à l'amour.

Destiné depuis l'enfance à devenir un rouage conforme, l'être humain a introjecté cette injonction et se considère comme un mécanisme. Il tente de combler le manque d'amour grâce à des produits, un peu comme on met de l'huile dans un moteur qui en manque.

Les rapports humains ne peuvent dès lors plus être des relations d'amour, mais seulement des *relations d'échange*. «Tu me donnes ceci et en échange, je te donne cela.» Ils sont des rapports marchands assortis du souci de ne «pas se faire avoir», de ne «pas tricher», d'être «honnête». Où est l'amour, cette expansion du cœur qui donne gratuitement, cette ouverture à l'Autre qui permet de recevoir sans avoir peur de devoir rendre?

L'adulte reconstruit autour de lui le manque d'amour qu'il a subi enfant, soulageant sa souffrance par la consommation d'objets, s'identifiant lui-même à l'univers matériel qui l'entoure.

Échange, troc, acquisition, vente, consommation sont devenus les nouveaux termes des rapports amoureux. Ceux-ci, issus du manque d'amour originel, en portent la marque : insatisfaction, colère, haine, culpabilité, angoisse.

Le couple tel qu'il est vécu dans notre société reflète tout naturellement cette psychologie de l'amour. Nous allons voir quelles en sont les conséquences.

Le couple matérialiste

Quel est l'employé, le fonctionnaire idéal?

Il doit pouvoir être suffisamment indépendant pour pouvoir travailler et être productif, mais suffisamment dépendant pour rester étroitement *contrôlable*. Il doit *coopérer* à ce contrôle. Il doit être ambitieux, mais sans vouloir échapper au cadre rigide qui l'entoure. Il doit être intelligent, mais sans remettre en question le *statu quo* social.

Cet idéal a été transposé tel quel au sein du couple, considéré comme une compagnie d'assurance contre la solitude et une entente fonctionnelle permettant de mieux affronter les difficultés matérielles. Ce type de relations permet d'associer au mieux les intérêts inconscients des deux enfants souffrants, angoissés (c'est l'aspect «compagnie d'assurance») et d'établir des rapports superficiels, courtois, bien huilés malgré la colère refoulée (c'est l'aspect «entente fonctionnelle»).

Moyennant quoi le couple sera socialement viable. Il sera une association d'adultes-automates échangeant un réconfort mutuel leur permettant d'échapper à l'angoisse de la solitude. Il sera une entente de producteurs aménageant au mieux leur survie économique (un seul loyer à payer, moins d'impôts). Il sera parallèlement un couple d'enfants souffrants qui se blottissent l'un contre l'autre et se déchirent parfois sans comprendre pourquoi.

Ne cherchons pas l'Amour. Il existe comme existait Pompéi avant que les fouilles archéologiques ne l'exhument : enfoui sous des tonnes de cendres émotionnelles produites par l'éducation et le refoulement. Par contre, la sexualité, la dépendance et la passion sont présentes. C'est cela que notre société nomme «amour».

Cette relation de collaboration mutuelle est une forme d'égoisme élargie à la dimension du couple. «Nous comblons mutuellement une partie de notre déficit affectif; nous nous conférons mutuellement une place dans la société; nous nous aidons mutuellement à produire le maximum de confort matériel possible. Moyennant quoi nous adaptons mutuellement nos comportements afin de rendre possible cette relation.» Voici posés les termes du contrat. Deux associés font équipe en ajustant leurs comportements au service d'un but commun : une vie matérielle paisible et confortable.

Notons que tous les aspects émotionnels, inconscients, ont été évacués. S'ils ressurgissent, ils seront considérés comme des incidents de parcours, et après un traitement médicamenteux, si la crise prend la forme d'une dépression d'un des partenaires, comme c'est souvent le cas, la machine du couple, réparée, poursuivra sa fonction matérielle et sociale.

Telle est l'image idéale du couple dans notre société. Le couple «qui fonctionne», «qui n'a pas de problème». Le couple mécanique.

Le fait que la moitié de ces couples volent en éclats au bout de quelques années apparaît aux sociologues comme une sorte de fatalité due à «l'égoïsme, au narcissisme grandissant, au stress de la vie sociale».

J'y vois plutôt une conséquence logique de la trahison du devoir fondamental de chaque être humain qui est d'aller vers toujours plus de conscience et d'amour.

Le couple matérialiste, n'allant pas dans le sens de l'élan vital, ne peut qu'être générateur de souffrance pour les personnes qui perçoivent encore les cris de leur enfant intérieur. Les personnes totalement matérialistes, mortes, constituent une grande partie de la moitié des couples qui ne divorcent pas. Elles sont parfaitement satisfaites de leur équipe qui fonctionne harmonieusement dans le monde matériel et ne demandent rien de plus.

Reste une toute petite minorité de couples unis dans l'amour et la conscience. Ils sont rares, très rares. Et si beaux!

Le couple-pornographe

Avez-vous jamais visité une boutique pornographique? On y trouve des anneaux hérissés de poils en plastique qui, glissés à

la base du sexe masculin, chatouillent délicieusement le cli-
toris et les lèvres du sexe féminin. Des vibromasseurs destinés
à provoquer un orgasme génital chez la femme. Des sortes de
seringues à décompression supposées, après un emploi assidu,
augmenter la longueur et le diamètre du pénis. On y trouve
beaucoup d'autres choses. Toutes ont un point commun : elles
traitent la sexualité en tant que *technique*.

*«Si vous utilisez cet objet, votre machine sexuelle fonctionnera
mieux.»*

La pornographie est une trahison de la sexualité qui est une
fonction spirituelle conduisant à l'amour, à l'expansion, à la
fusion avec le Divin. La trahison consiste à en faire une technique purement matérialiste.

On retrouve là la même involution qui produit le couple
matérialiste. L'origine de la sensation du manque d'amour
étant inconsciente, le manque lui-même ne peut être comblé.
On recherche alors tous les substituts susceptibles de le
soulager : les drogues, molécules qui se fixent sur les mêmes
«clefs» que les neurotransmetteurs, messagers de l'orgasme et
de l'extase, les sucreries, la consommation d'objets, l'argent, le
pouvoir, le sexe.

Ce faisant, l'homme assimile ses fonctions spirituelles à des
techniques matérielles et s'identifiera lui-même à une
machine. Il est logique qu'il recherche des techniques d'exploitation de sa machine sans cesse plus perfectionnées.
D'innombrables livres décrivent avec un luxe de détails inouï
l'infinie variété des positions du corps permettant de renou-
veler le plaisir génital (qui ne représente pas l'orgasme sexuel
dans toute sa vérité, loin s'en faut!).

Une caste un peu perverse de sexologues médicalisera le
manque d'amour en l'assimilant au défaut d'orgasme. Ainsi, la
génitalité passera-t-elle pour de l'amour.

Notre société est pornographique, car elle promeut la génitalité comme substitut à l'amour. Elle transforme même la géni-

talité en vecteur incitatif à la consommation, qui est la véritable fonction de notre culture : produire/détruire de la matière. Les corps des femmes et des hommes que la publicité nous présente des dizaines de fois par jour sont destinés à maintenir toute une population en une érection psychique permanente afin de se servir du manque d'amour pour vendre des substituts matériels, du poste de télévision au fromage en tube. Il n'est pas étonnant que le «couple libéré» réponde à la même logique. Il utilise la sexualité restimulée en permanence par les messages publicitaires comme une technique de satisfaction physique, matérielle, génitale.

Je suis d'ailleurs persuadé que de nombreux lecteurs seront surpris d'apprendre que la sexualité n'est pas cela, en sus de sa fonction reproductrice! Non, la sexualité est l'incarnation de l'Énergie, de l'Amour et de la Conscience. Sans Amour et sans Conscience, point de véritable sexualité. Il est plus exact alors de parler de génitalité.

L'idéal du couple-matérialiste-pornographe sera le mariage d'un chef d'entreprise avec une avocate d'affaires. Ils achèteront un bel appartement; pratiqueront un acte génital de longue durée (1h30) pourvu de 3,2 orgasmes génitaux complets chez la femme pour un seul (hélas!) chez l'homme, presque trois fois par semaine (2,95); auront 1,8 enfant; réussiront dans la vie; seront très occupés; iront à l'Opéra une fois par mois; consulteront un thérapeute chacun de leur côté; un conseiller conjugal ensemble; choisiront un avocat commun pour divorcer par consentement mutuel et se remarieront 1,3 fois.

Où est passé l'amour dans notre société? En tout cas, on ne le trouve qu'à l'état de trace dans ce type de couple, qui représente un idéal naïvement exposé au cinéma comme le but à atteindre!

Parce que la réalité moyenne est pire! Poursuivons notre visite indiscrète de l'état des couples occidentaux.

Le manque du père et de la mère au sein du couple

Si, au sein du couple, l'homme est resté coincé dans le manque, si, n'ayant reçu son comptant d'amour, il n'a jamais pu en connaître la satiété, il poursuivra auprès de sa femme la recherche de l'attention maternelle qu'il n'a pas reçue. Protection, tendresse, sollicitude, autant de variantes de l'amour inconditionnel. L'homme attendra de sa partenaire qu'elle lui accorde cela comme allant de soi. Sa demande sera la légitime demande de l'enfant auprès de la mère.

Mais un partenaire ne peut donner autant qu'une mère idéale donne à son enfant. De plus, ce n'est pas là son rôle. Très vite, la frustration interviendra. Alors, le partenaire ira «pomper» à d'autres citernes d'amour, s'engageant dans de nombreuses aventures romantiques et sexuelles, s'étonnant du fait que sa femme lui en fasse le reproche. Il espère encore trouver en elle la mère, celle qui pardonne sans fin, toute de bienveillance et d'indulgence.

Ces hommes se montrent capables d'énormément de tendresse, d'affection, de charme afin d'obtenir ce dont ils ont par-dessus tout besoin : une relation amoureuse qui soit un substitut de la relation mère-enfant qu'ils n'ont pas eue. *Leur but est d'être aimé, non d'être aimant.*

Très vite, si le partenaire fait mine de vouloir poser des conditions à son amour, le ressentiment éclate, la haine explose. «Quoi! ma mère me trahit encore?»

L'homme se sentira à nouveau atrocement victime, du fait que son partenaire lui donne la plus grande part des torts.

Dans les cas, très graves, où le manque d'amour est apparu dès la vie intra-utérine, durant la gestation par une mère profondément névrosée et anxieuse, l'adulte cherchera à retourner au stade fœtal afin que son partenaire lui accorde, à lui, fœtus amorphe, l'amour total qu'il n'a jamais connu. Cette recherche d'extase océanique qui se réfère, mais dans une inconscience totale, à un stade d'incarnation extrêmement précoce, conduit certains hommes qui viennent de se marier à une impuissance professionnelle et sociale totale. Ils se retirent de la vie puisqu'ils ont trouvé un utérus de substitution, laissant la charge du couple et de leur propre subsistance au conjoint.

L'homme qui n'a pas reçu de son père l'amour, et donc l'attention qu'il en attendait, reste tourné vers l'univers masculin, attendant une reconnaissance par le père qui vaudrait initiation à la masculinité. Il se marie plus pour «faire comme papa» que par véritable amour. Adoptant des attitudes et des valeurs très masculines, il est assez séduisant pour attirer de nombreuses femmes. Mais celles-ci ne sont pas très importantes à ses yeux. La seule chose qui l'intéresse, c'est de se sentir homme à travers ses réalisations professionnelles, sociales, financières ou ses conquêtes féminines. Il peut également se choisir un père de substitution : de Gaulle a ainsi, dans la classe politique française, toute une marmaille en manque accrochée à ses basques.

L'homme en manque de père peut également renoncer à se voir jamais reconnu par lui. Il s'effondre alors; cela donne une personnalité molle, inconsistante, instructurée, très fréquente dans notre culture.

La femme, qui de même est restée focalisée sur la figure du père dans l'attente qu'il la reconnaisse en tant que femme, trouve un bon compagnon dans l'homme lui aussi en recherche du père; il la traite en gamine, lui accordant une attention très relative et vite agacée; elle retrouvera ainsi le père qu'elle a connu : distant, insaisissable.

Elle peut aussi être une femme-enfant auprès d'un partenaire recherchant également le câlin enfantin comme substitut à l'amour parental. Le contact physique, les préliminaires érotiques seront leur grand plaisir partagé. Ce sera «papa câline sa petite fille». Cela peut être charmant. Et angoissant. C'est une relation incestueuse, même si elle n'est que symbolique.

Voici quels sont les types de couples les plus fréquents dans notre société : matérialistes, pornographes, en manque du père et de la mère, ils sont des couples d'enfants incestueux et non d'adultes conscients.

La découverte de leurs manques et de la haine qu'ils provoquent leur permettra seule d'accéder au stade du couple adulte au sein duquel les partenaires sont prêts à s'aider mutuellement à avancer vers la Conscience et l'Amour.

Chapitre VI

L'amour

Nous avons abordé quelques concepts qui peuvent sembler assez ésotériques, tels que Vie, Conscience, Énergie, Amour. Nous avons supposé que toutes ces notions ne représentaient que les différents aspects d'une entité que l'on ne peut percevoir au moyen de la pensée logique, mais seulement avec l'«intelligence du cœur». Cette source originelle de la vie est appelé Tao, Shunyata, Brahman, «non-né, non-créé», par les philosophies asiatiques tandis que les philosophies occidentales proposent un concept beaucoup plus anthropomorphique, «Dieu». Cependant, on retrouve chez quelques mystiques chrétiens, en particulier saint-Jean de la Croix, sainte-Thérèse d'Avila et surtout Maître Eckhart une conception de l'absolu, du non-manifesté, de l'Amour tout à fait proche de celle qu'adoptent le bouddhisme, le tantrisme, le taoïsme, le zen.

Nous avons vu que notre société, compensant un manque d'amour généralisé par le matérialisme, s'éloigne de plus en plus de la capacité à ressentir l'Amour. C'est pourquoi il est extrêmement difficile d'exposer ces concepts dans un ouvrage écrit. Ils sont devenus par trop étrangers à notre culture. Ils sont si loin de nos préoccupations quotidiennes que nous ne les percevons et concevons même plus. À dire vrai, notre culture tout entière en vient à nier que cela puisse exister. Dans un monde tout de matière, l'Amour-Conscience-Énergie n'est plus concevable.

C'est pourquoi il est bon de «remettre sans cesse sur le métier l'ouvrage» et d'approcher ces concepts à nouveau, en adoptant différents points de vue, afin peu à peu d'en tirer une idée-forme composée de l'ensemble des informations accumulées. Notons bien qu'il s'agit ici de *sensibilité* et non de compréhension intellectuelle. C'est grâce à la multiplicité des approches que nous pouvons *ressentir* le concept décrit. En effet, tel axe d'approche nous *touchera* plus qu'un autre; nous y serons plus sensibles et cette sensibilité éveillée résonnera plus fort lors d'une approche ultérieure.

Comme tout ce qui appartient au domaine de la perception, seuls nous parleront les faits sensibles, ceux que nous pouvons toucher du doigt.

Décrire l'Amour, qui est d'une nature spirituelle très subtile, c'est aussi décrire l'amour incarné tel qu'il se vit tous les jours, très concrètement. À l'inverse – et ceci est fondamental – *toutes les difficultés que rencontre l'amour incarné proviennent d'un manque de sensibilité à l'Amour divin.*

Nous ne pouvons apprendre à aimer et à nous laisser aimer que dans la mesure où nous redonnerons un peu de sensibilité à cette «dimension» de l'Amour-Conscience-Énergie. C'est ce que l'on appelle «ouvrir son cœur».

Ce livre n'a d'autre but que de présenter les divers aspects que peut prendre cet Amour-Conscience-Énergie dans notre amour quotidien, en se référant constamment à la réalité vécue.

L'ésotérisme n'est pas ce qui est caché, c'est ce qui est difficile à percevoir. C'est aussi la racine de notre réel quotidien. C'est pourquoi nous allons tenter de plonger encore plus profondément dans l'approche de cette dimension «inexistante», non-créée, éternelle, qui, à chaque instant, crée notre monde.

Amour et union avec le Divin

La méditation *vipassana*, le *rebirth*, la respiration holotropique, l'extase tantrique, l'orgasme sexuel m'ont permis de faire l'expérience directe de l'état de fusion avec le tout, le Tao, l'Incréé. De nombreux livres et la fréquentation de quelques Maîtres m'ont appris que ces expériences avaient été réalisées bien avant moi par des générations de chercheurs spirituels dont la lignée remonte, pour ceux dont nous avons conservé le souvenir, au quatrième millénaire avant Jésus-Christ. Il s'agit des *rishis*, les *voyants*, ceux qui voient le «Réel-tel-qu'il-est». Ces sages sont à l'origine des textes sacrés hindous tels les Védas, les Upanishads, la Bhagavad-Gita, le Mahabharata pour citer ceux qui sont un peu connus des Occidentaux.

Puisque mes sensations personnelles étaient bien connues et acceptées comme réelles par un grand nombre de personnes, j'ai peu à peu moi-même accepté de leur accorder une véritable *réalité* et à me demander quelles leçons, applicables à la vie de tous les jours, elles pouvaient m'apporter. À vrai dire, ma démarche fut plutôt erratique et fort peu consciente. Ces expériences me mirent en face d'une réalité si différente de la réalité matérielle à laquelle j'étais habitué que je consacrai quelques années de mon existence à en nier la validité, jusqu'à ce que mon intellect se rende enfin devant l'accumulation des évidences. Je me rendis compte alors que, dès le début, ces expériences m'avaient profondément changé. Elles avaient donné un sens à ma vie, même si je les avais tout d'abord refusées.

La première certitude que j'ai acquise est : *au-delà de mon incarnation, j'existe*. Ou plutôt (l'expérience est extrêmement précise) : «existe». Le «j'» a disparu. «Conscience.» Seulement cela, «conscience». Pas de temps, pas d'espace. Et pas non plus absence de temps, absence d'espace. Non, conscience seulement. L'essence de l'être. *Nous sommes conscience-consciente-d'être-consciente.*

La seconde certitude fut la sensation de l'incroyable nostalgie que je ressentais de ne plus être seulement cette conscience, car en réalisant cette expérience, j'avais rencontré un sentiment de bien-être absolu, de sérénité totale. Pas du bonheur, pas une extase, pas une émotion. Cela qui *fonde* le bonheur, l'extase, l'émotion : l'Amour. Le sentiment d'ÊTRE et d'être UN, d'être le TOUT.

La troisième certitude fut que Cela, cette conscience, *créait*. L'espace, le temps, la matière. «J'» étais une création de Cela. «J'» étais Cela. Une émanation de Cela. Une de ses vibrations. Une de ses longueurs d'onde, une de ses infinies nuances. Mais même individué, je restais porteur du TOUT.

La quatrième certitude, que je ressens au moment même où j'écris ces lignes, est que je me suis moi-même séparé, coupé de cette béatitude. Je ne me perçois pas toujours comme cette conscience sereine. *Je n'incarne pas totalement mes certitudes.*

Pourtant, cette sérénité, je la retrouve dans la méditation, dans l'acte sexuel tantrique et encore au cours de mes longues expéditions solitaires dans les déserts de sable ou de glace.

Ma raison me dit : «Tu es Cela, seul ton mental t'en sépare.» Certes. J'ai bien appris ma leçon védantique, j'ai bien écouté mes Maîtres. Cependant, je n'en réalise l'expérience qu'après m'être adonné à des pratiques spécifiques, telles les méditations. Dans ma vie de tous les jours, JE N'INCARNE PAS CELA. Là est l'origine de toute ma souffrance. JE NE SUIS PAS CONSCIENCE. JE NE SUIS PAS AMOUR.

Parce que, être amour, c'est être le TOUT. Dire OUI à ce qui est, c'est *accepter* tout, accepter absolument, complètement. Mais il y a au fond de moi un enfant blessé qui dit encore NON. Qui proteste contre la mère telle qu'elle fut, contre le père tel qu'il fut, contre la vie telle qu'elle fut. Un petit être en colère. Qui est souffrant. Qui n'est pas amour. Qui n'est pas sérénité.

Et je sais, de façon certaine, que la plus grande force qui m'anime, la pulsion vitale fondamentale, me pousse à retourner vers la Conscience et l'Amour. Le «moteur vital» de l'être humain est de retourner à l'Amour et la Conscience, au UN! Il n'y a pas d'autre réalité.

Amour maternel; amour fraternel; sexualité; création artistique; idéaux esthétiques, philosophiques, politiques; pouvoir; argent; nécessité du paraître social; consommation d'objets et de drogues ne sont que les variations, les ondes harmoniques, de plus en plus lourdes et matérielles, de la même «sonorité», le verbe de Dieu : l'Amour-Conscience-Énergie. Nous ressentons tous l'impérieuse nostalgie d'y retourner.

Retourner à l'Amour *à travers son incarnation*, voici le sens de la vie de l'être humain. Oublier la mission, devenir totalement matérialiste, c'est perdre le Sens et rencontrer la souffrance du désamour.

La souffrance est le signe de la perte du Sens. Elle est une force qui intervient lorsque nous dévions du flux vital, exactement comme la force électro-magnétique du champ terrestre intervient afin de maintenir l'aiguille de la boussole alignée vers le nord.

Nous sommes autant de fragments amoureux, alignés vers l'étoile Polaire de l'Amour. Si nous dévions de l'«ordre des choses», du Tao, du Dharma, alors nous ressentons l'effet d'une force de cohérence universelle que nous appelons «souffrance». Ultimement, c'est cela la souffrance qui sanctionne toute force non alignée vers l'Amour, tout refus de l'ordre des choses, tout refus de ce qui est.

La souffrance existentielle s'incarnera en un blocage énergétique générateur d'angoisse (*angusta* : ce qui est étroit, qui freine le flux énergétique, le flux de la vie); des maladies dues à la nécrose des organes provoquée par une mauvaise alimentation en énergie; la mort, qui est l'immobilisation totale des flux dans le corps matériel.

Tout refus est générateur de souffrance. Toute acceptation est porteuse de vie, de conscience, d'amour, de libération de la souffrance.

Notre raison d'être, notre sens, notre fonction est d'aller vers l'Amour. Tout obstacle à ce flux provoque la souffrance. Or l'amour est UN.

Le sentiment de notre individualité, le fait que nous nous percevons comme coupés de la Source, fragmentaires, divisés, ne peut que se traduire par de la souffrance, de l'angoisse.

L'une des façons de gommer ce sentiment d'angoisse sera de se «ré-unifier» avec l'Autre. C'est l'amour, c'est la sexualité. Le sujet qui nous intéresse ici.

Depuis le début du siècle et le freudisme, cette nostalgie de l'état «nirvanesque» est considérée comme une pathologie.

En effet, chez l'adulte qui, enfant, n'a pas reçu son comptant d'amour, l'incarnation est perçue comme douloureuse, sans objet, sans aucun Sens. D'où cette volonté de «retourner dans le ventre de la mère» afin d'y retrouver l'Amour, la fusion avec le Tout et le Sens. Parfois même, l'adulte refusera la vie, se retirera du jeu de l'incarnation, refusera de matérialiser son être, son Sens, puisque le jeu pour lui s'avère trop difficile. Il fuira toute énergie vitale. Cette attitude peut aller jusqu'à la catatonie totale : un malade mental susceptible de rester allongé, immobile, des mois durant.

Chacun d'entre nous est polarisé (avec plus ou moins d'énergie) vers le Sens : retrouver l'état nirvanesque de l'Amour-Conscience. L'état de *samadhi* des hindous, le *satori* des Japonais. La névrose intervient si ce «retour» tente de se faire en marche arrière, au moyen d'un refus de l'incarnation et non pas d'une façon dynamique, créatrice, grâce à l'incarnation qui permet de matérialiser l'Amour-Conscience et d'en faire l'expérience active.

L'attitude de fuite, l'attitude de victime est une passivité : une «passion». L'attitude de jeu, d'énergie est une activité consciente, une décision. L'amour incarné, vecteur principal vers l'Amour-Conscience, sera donc une action, une décision, une activité consciente. Nous verrons à quel point cette constatation comporte des conséquences pratiques fondamentales quant à notre comportement face à l'amour que nous éprouvons envers notre partenaire. La passivité est la mort de l'amour. L'amour est une *décision consciente*. Tout ce qui ressort des emportements de la «passion amoureuse» vécue dans l'inconscience n'est donc pas, en dépit de ce que nous croyons généralement, de l'amour.

Chapitre VII

Se réunifier

Il est un mythe intéressant dans la Bible qui, comme tous les mythes, est porteur d'une profonde vérité pour qui «a des oreilles pour entendre et des yeux pour voir».

Adam et Ève s'ébattaient, heureux, dans un jardin. Enfantins, c'est-à-dire totalement spontanés, ils baignaient dans la sensation d'exister. Ils étaient expérience pure, dans l'ici-et-le-maintenant. Ils étaient au paradis, au *nirvaña*. Ils étaient Être-Conscience-Béatitude.

Ève s'approche de l'arbre de la *connaissance* (dans les mythes chrétiens, la femme est perverse : nous sommes en pays de culture méditerranéenne) et croque la pomme du mental. C'est-à-dire qu'elle abandonne l'intuition, «l'intelligence du cœur», le UN pour entrer dans l'intelligence du mental qui «ana-lyse», divise le réel afin de le comprendre, l'étudier. La perception, dès lors, n'est plus UNE mais parcellaire, «ana-lytique», multiple, divisée. Le sentiment de soi devient lui aussi multiple et divisé. Il n'est plus UN, unifié.

Immédiatement, Adam et Ève se regardent, ils «virent qu'ils étaient nus et connurent la honte» : ils rencontrent l'*angoisse*. Qui a lu le *Cantique des cantiques* sait bien que la Bible peut être profondément érotique. Cette honte liée à la sexualité n'est pas due à l'aspect esthétique des organes génitaux, mais bien au fait que la *différenciation sexuelle matérialise l'état de division dans lequel se trouve l'être humain*.

Fondamentalement, la honte et l'angoisse qui se rattachent à la sexualité viennent de ce que celle-ci constitue la marque première de l'état de séparation du Tout, du UN!

«Il y avait UN, puis il y eut DEUX», nous dit le Tao. La Conscience-Amour s'est divisée afin de s'incarner dans la dualité. Le mental est l'outil de perception qui convient à l'incarnation, la «*dualité*», tandis que l'intuition (le «3e œil») est celui qui convient au non-manifesté, au UN.

Croquer la pomme du mental, c'est s'incarner. S'incarner, c'est connaître l'angoisse de la séparation d'avec le Tout. La sexualité apparaît comme première conséquence puisqu'elle est le mode d'incarnation des êtres vivants.

Cependant, la sexualité constitue également le moyen de se ré-unifier grâce à la fusion orgastique. Elle est perçue à la fois comme *angoissante* puisqu'elle est la porte de l'incarnation, donc de la rupture avec l'état d'union avec le Tout, et *attirante* puisqu'elle représente le moyen de revenir à cet état à travers l'orgasme et l'amour pour l'Autre.

S'il est vrai, comme nous l'avons dit, que le sens de l'existence humaine est d'*incarner l'Amour-Conscience*, on comprend dès lors pourquoi la sexualité est le problème central de l'être humain. Elle peut constituer l'outil, le moyen du Sens. La sexualité sera l'outil de l'Amour-Conscience.

Mais elle peut également être dévoyée et poursuivre des buts matérialistes sans rapport avec le sens. Que penser dès lors d'une société où la sexualité est honteuse, pervertie, utilisée comme technique de vente, dégradée par la pornographie? Une telle société peut-elle incarner l'Amour et la Conscience? Et nous-mêmes, citoyens et citoyennes de cette culture, comment échapper aux idées, aux jugements, aux condamnations que nos parents nous ont légués vis-à-vis de la sexualité?

Nous comprenons dès lors que les «problèmes du couple» trouvent leur origine dans le domaine du culturel et du spirituel. L'accession au bonheur ne pourra, de ce fait, échapper à un questionnement existentiel.

N'oublions pas que le nouveau point de vue que nous adoptons au sujet de l'incapacité à aimer et du désamour de soi, à savoir la difficulté à accepter de jouer le jeu de l'incarnation et accepter le «Réel-tel-qu'il-est», à dire OUI à la vie même si elle semble nous proposer de rudes expériences, ce nouveau point de vue décrit très exactement la même réalité que nous avons abordée au chapitre «L'amour et la haine».

Cette haine pour la mère et le père, qui entraîne le sentiment de culpabilité, l'angoisse, la dépression et l'incapacité à aimer, n'est que le *refus* de l'enfant, puis de l'adulte, d'accepter véritablement les expériences qui ont marqué son entrée dans le monde manifesté. Crispé sur son refus (c'est le refoulement), il bloque le flux vital, le flux de l'Amour et s'interdit ainsi l'accès à la réunification, au UN, au Tout, à sa nature divine. Il n'y a pas antinomie entre l'approche psychologique et l'approche spirituelle, métaphysique de l'être humain. Bien au contraire, les difficultés d'ordre psychologique s'éclairent dès lors qu'on les considère en tant que matérialisation du jeu spirituel qui consiste à se réunifier avec l'Esprit à travers sa propre matérialité, y compris sa sexualité.

Les techniques de l'extase

Se réunifier est le but. Examinons maintenant quelles sont les stratégies que notre culture a inventées pour tenter de l'atteindre, à défaut de disposer d'une spiritualité vécue au quotidien et d'une sexualité sacrée, vivante et saine.

De tout temps et en tous lieux, les hommes ont tenté de rejoindre le Divin. J'ai eu la chance de pouvoir participer à des transes collectives en pays berbère, lors de certains *mousems;* aux danses extatiques des *gnawas,* qui sont des confréries soufies du Maghreb; à des *tinde* touaregs; de vivre auprès d'une *la-mu* en pays tibétain; de méditer de longues heures dans des monastères du bouddhisme tantrique, de participer à des cercles de Tantra; de rencontrer un chaman en pays khirgize. Toutes ces pratiques avaient un point commun : la création d'une *extase*. Qu'est-ce que l'extase?

«Stase», c'est l'état stable, l'état d'immobilité. Stase, c'est l'arrêt du mouvement. L'arrêt du changement. Si la vie est un flux, la stase est un peu la mort. Sortir de la stase, c'est rejoindre le flux, la Vie. C'est sortir de ce qui est immobile, condensé : le monde matériel. Ex-stase, c'est se réunifier avec le flux vital, avec l'Amour-Conscience-Énergie.

Les techniques adoptées pour y parvenir (en tout cas celles que je connais) ont un autre point commun : l'utilisation du son.

Les *bendirs* et les *lemts* berbères, qui sont des tambourins et des tambours; les «crotales» des *gnawas*, qui sont des sortes de castagnettes métalliques; le *tinde* touareg, qui est une peau tendue sur un pilon à mil formant ainsi une sorte de tambour; les gongs, timbales et trompes des monastères tibétains ainsi que l'incroyable vibration du «chant harmonique» que produisent les moines lorsqu'ils psalmodient leur mantras; le large tambourin frappé d'un bâton recourbé du chaman, tout ceci produit un *son*, une *vibration*, une énergie : le «verbe de Dieu».

C'est l'aspect *Énergie* de l'Amour-Conscience. L'expérience du Divin peut en effet s'approcher par la sensation de Conscience et d'Amour que permet, par exemple, la méditation, mais aussi sous sa forme «Énergie» à laquelle donnent accès les pratiques chamaniques ou tantriques et la sexualité.

Bien sûr, il n'y a pas d'expérience du Divin qui ne comprenne les trois termes Conscience, Amour, Énergie, mais l'une de ces manifestations est plus ou moins prépondérante en fonction de la technique employée pour produire l'extase. (Précisons toutefois qu'au-delà de ces manifestations, l'expérience du Tout, de l'Un, du Divin, c'est le vide. Cela qui crée les perceptions premières de Conscience, Amour, Énergie.)

Dans notre société, les cercles tantriques n'existent pas, les chamans sont rarissimes et les *gnawas* ne courent pas les rues comme ils le font au Maghreb. L'expérience de la réunification par les techniques de l'extase ne fait plus, depuis la fin du Moyen Âge, partie de notre culture cartésienne et matérialiste.

Pourtant, les mondes romain et grec étaient tous deux fondés sur des cultes orgiaques, c'est-à-dire permettant d'atteindre l'extase par le son, le rituel, la sexualité et parfois les drogues, tel le vin. Ces cultes étaient considérés comme nécessaires à la vie de la Cité. Alexandre le Grand et l'empereur Adrien furent tous deux initiés aux mystères sacrés, tels ceux d'Éleusis.

Les techniques d'extase permettaient autrefois de pourvoir aux besoins de réunification des personnes particulièrement sensibles à leur dimension spirituelle et au Sens dont est porteur le monde manifesté, la vie quotidienne.

De nos jours, la disparition de ces portes d'accès au Divin ne permet plus de telles incursions dans le monde de l'Esprit. Non seulement ces cultes ont disparu, mais le mysticisme, étouffé par les religions occidentales, qu'elles soient chrétienne, juive ou musulmane, n'est plus admis comme faisant partie intégrante de la vie sociale.

Il n'y a plus aucune possibilité d'accès à l'extase dans nos sociétés, à part une résurgence très récente d'un chamanisme ou d'un tantrisme dépourvus de véritables Maîtres dans la grande majorité des cas.

On peut noter cependant l'apparition, depuis quelques années, des «raves», ces «nuits dansantes» organisées en dehors de toute autorisation officielle, dans des lieux *sauvages* échappant au contrôle social. Comme il n'y a plus chez nous de profondes forêts à portée de voiture, ce sont les friches industrielles qui sont utilisées : grands entrepôts frigorifiques désaffectés, usines abandonnées et même, en Angleterre, anciennes salles de triage du charbon. Tous ces lieux ne sont pas sans avoir un certain charme...

Le groupe générateur d'électricité et la «sono» de 10 000 watts ont remplacé *lemts, bendirs,* tambourins, crotales et trompes de la tradition. Cependant, les rythmes de la *dance music, acid, house* s'établissent très fréquemment à 100/120 b.p.m. (battements par minute), ce qui correspond aux rythmes de transe du tambour des chamans.

Du début de la nuit à l'aube, des centaines, parfois quelques milliers de jeunes s'immergent dans les vibrations de très basses fréquences, de 20 à 60 hertz, similaires aux fréquences des tambours traditionnels. Elles atteignent même parfois 10 hertz grâce à des équipements spéciaux tels l'*infra-bass* à colonne d'air. Ces fréquences et ce rythme, émis à des volumes sonores importants s'élevant à 120 décibels, provoquent dans la boîte crânienne mais aussi dans le reste du corps, l'apparition d'ondes stationnaires, induites par résonance, qui agissent directement sur la fonction cérébrale et provoquent la transe : le sentiment de réunification, l'extase. N'oublions pas que le son, c'est le «verbe de Dieu». N'oublions pas que la matière est énergie et que le son, en agissant sur les équilibres énergétiques, *vibratoires,* qui composent chacune de nos cellules, est une clef puissante d'ouverture, d'*expansion de la Conscience.*

Cependant, les «raves» sont une activité on ne peut plus marginale; elles concernent quelques milliers de personnes seulement sur des centaines de millions en Europe, USA, Australie. Elles n'ont plus qu'un très vague rapport avec la transe et ont perdu toute signification spirituelle. Elles n'en sont qu'une vague résurgence, dans l'inconscience la plus totale.

Les drogues

L'usage du tabac fut découvert par les *conquistadors* espagnols lors de la conquête du Nouveau Monde. Le tabac y était utilisé comme support à un rituel de réunification, dont l'image la plus connue en Occident est le rituel du calumet de paix des Indiens des Plaines.

L'effet de la nicotine est très vaguement ressemblant à celui des molécules que le cerveau secrète lors des expériences de réunification que l'on peut vivre au cours de la méditation profonde. Cette drogue très, très légère était sans doute plus utilisée en tant que symbole que comme catalyseur chimique.

Ainsi, dans le rituel du calumet de la paix, la préparation du calumet, la ritualisation de son passage de convive à convive, l'arrêt de la parole quand celui qui le détient l'utilise, l'approfondissement de la respiration due à l'aspiration de la fumée, structurent la relation sociale et le discours; incitent chacun à porter son attention sur l'*instant présent*, à échapper aux émotions refoulées du passé ou à leurs projections dans le futur; établissent un *cycle de communication* complet où chacun écoute celui qui parle jusqu'à ce qu'il ait fini son discours, puis fait savoir qu'il a entendu par le fameux *ough*.

Nul ne songerait à interrompre ce cycle et nul ne tenterait de perturber l'ordre de la parole afin de *réagir*, de laisser son émotion agir à la place de sa Conscience. Ce rituel du calumet de paix évite aux participants d'être soumis à leur inconscient, d'être impulsifs (passifs) au lieu d'être conscients et de contrôler leurs pensées (actifs).

Si réponse il y a, elle interviendra en son temps et en son heure, lors du passage du calumet.

Le tabac sert ici de support au rituel, de symbole permettant au mental de se pacifier afin que chacun se sente *relié* à la communauté tout d'abord, à lui-même ensuite, et enfin à l'Esprit; à Cela qui se situe dans l'«éternel présent», ici et maintenant, au Divin, à la Conscience.

La cérémonie du thé, au Japon, utilise un autre végétal, lui aussi excitant léger, également utilisé comme une aide à la méditation lors de la «cérémonie du thé». Les Incas, eux, utilisaient le cacao qui, absorbé sous sa forme brute, constitue un léger tonique, ainsi que la feuille de coca, à l'effet plus intense si elle est mastiquée en grande quantité.

Le monde occidental a dépouillé l'usage de ces plantes de toute fonction sacrée, comme il a désacralisé l'ensemble de son univers. Pourtant, le tabac a conservé sa fonction symbolique. Il reste le geste supposé permettre échapper à l'angoisse de la séparation, de l'incarnation et de ses souffrances, afin de revenir, pour le temps d'une cigarette, à l'instant présent, à l'«ici et maintenant». Cependant, dépouillée de tout rituel, de toute attention portée aux gestes qui s'accomplissent désormais de façon automatique, c'est-à-dire *inconsciente*, l'efficacité symbolique de la cigarette est tout à fait minime. Le soulagement dure quelques instants seulement et le geste doit être répété inlassablement.

Il soulage, car il mobilise tous les sens : toucher de la cigarette (et surtout du cigare) ou bourrage de la pipe; ouïe (le craquement de l'allumette ou des feuilles de tabac du cigare que l'amateur porte attentivement à son oreille); vue, odorat (le cigare que l'on hume longuement avant de l'allumer), goût. Tous les sens mobilisés le sont dans l'*instant présent* et y ramène la conscience du fumeur, *pourvu que le geste soit conscient* et non névrotique.

Comme la nicotine est une molécule se fixant sur les terminaisons neuronales réceptrices des neurotransmetteurs messagers de la sensation de bien-être, absorbée à très hautes doses, elle perturbe l'équilibre général de cette sensation et induit une dépendance physique au produit.

Le cycle social de l'utilisation du tabac peut donc être exprimé comme suit : désacralisation de l'environnement et du monde = sentiment de séparation, manque d'amour = apparition de l'angoisse = utilisation pour soulager l'angoisse d'un produit autrefois sacré ayant des effets discrets sur la chimie du cerveau = inefficacité relative due à la désacralisation et la déritualisation de l'usage de ce produit = augmentation de la consommation = apparition d'effets secondaires néfastes dus à la présence des produits actifs = état de dépendance, de manque, maladie = augmentation de l'angoisse = appel à des produits plus puissants (drogues légales ou illégales) = début d'un nouveau cycle, à un niveau d'angoisse plus élevé.

On voit donc, avec l'exemple du tabac, de quelle façon un produit était considéré dans les cultures traditionnelles comme sacré, car il permettait, grâce à sa très discrète action sur le cerveau, de se réunifier. Et comment l'utilisation en devient nocive si ce produit est utilisé en dehors de ce cadre.

Il est bien certain que s'il fut sacralisé en raison de son effet sur la chimie du cerveau, c'est la désacralisation de son usage qui en a fait un fléau social, non l'action chimique en elle-même.

Ainsi, les drogues dures : cocaïne, héroïne, crack, sont tirées des substances que l'on trouvait autrefois associées à des rituels sacrés. La coca, l'opium, les champignons hallucinogènes, le hashich, ont de tout temps été utilisés par les chamanes et les Maîtres afin d'initier leurs disciples. Mais leur usage était considéré comme une aide transitoire permettant de franchir un pas vers plus de conscience. Dans ce cadre, la dépendance à la drogue ne pouvait apparaître. Le bien-être qu'elle procurait était un modèle, une représentation, le reflet de l'expérience extatique que le disciple atteignait par la suite grâce à la méditation ou à une autre démarche spirituelle *active*. Dans ce cadre, la drogue était considérée comme un ersatz utile momentanément, qui permettait d'ouvrir la voie vers le but : l'extase de la réunification avec le Tout.

La désacralisation de l'usage de la drogue, son raffinage qui la potentialise, son introduction dans le cycle marchand (le poids du commerce de la drogue sur le marché mondial dépasse celui du pétrole!) ont produit les ravages que l'on sait.

Cependant, l'usage des drogues dans notre culture conserve en partie son rôle symbolique : le soulagement de l'angoisse de séparation, une tentative de trouver l'«ex-stase», de se «réunifier» avec le flux vital, l'Amour. Mais ceci d'*une façon passive*, en devenant l'*objet* du produit qui représente l'élément actif. Or, nous avons vu comment l'Amour, le Divin était une activité consciente. Il ne peut y avoir d'accès au Divin dans la passivité et l'inconscience.

Nous avons vu également à quel point le «dressage» de l'enfant à un certain type de société était la cause première de la haine, du refoulement, de l'augmentation de l'angoisse. Il n'est donc pas étonnant que l'usage de la drogue se généralise avec la montée de la névrose et de l'angoisse due à une éducation niant le sacré.

Au sein des cultures où la mère assure encore son rôle sacré, comme c'est le cas dans certaines sociétés traditionnelles et dans l'Inde des campagnes, le problème de la drogue n'existe pas et ne saurait exister.

La drogue, cette porte ouverte vers le Divin, dont l'usage se justifiait autrefois dans le cadre des initiations actives, est devenue un terrible piège spirituel. Ses effets sociaux dramatiques sont dus, eux, à l'interdiction du commerce de ces substances et cesseront dès la fin de cette répression ainsi que le démontre l'exemple de la prohibition de l'alcool aux États-Unis entre les deux guerres mondiales.

D'autre part, la drogue joue un rôle social qui n'est pas négligeable. Actuellement, environ 70 % des revenus de certaines banlieues à fort taux d'immigration proviennent des aides publiques et de la drogue. 75 % des délits liés à la drogue sont le fait d'étrangers. Son commerce représente un facteur d'intégration en permettant aux familles qui habitent ces banlieues de consommer. Cette intégration se fait par la délinquance et la violence. Il y a là, structurellement, une conséquence logique : une société qui nie le sacré, donc l'amour, ne peut que confronter la nature même du manque d'amour, la haine. Nous retrouvons là, au niveau social, ce que nous avons abordé au niveau individuel dans la première partie de ce livre.

L'abandon par les parents de leur rôle sacré qui consiste à laisser l'enfant être lui-même, à s'incarner en sauvegardant l'ensemble de ses potentialités divines, cette trahison de leur fonction spirituelle est génératrice de haine et d'angoisse. De même la trahison de l'ensemble d'une société qui nie le sacré.

Le besoin d'un retour au sacré est tel que, dans nos banlieues, il tentera de s'assouvir grâce à l'Islam. Hélas, un Islam religieux beaucoup plus politique que spirituel! Le cousinage de la drogue et de la religion est donc bien certain. La religion n'était-elle pas, selon Marx, l'«opium du peuple»? Ce sont deux moyens pour tenter de soulager l'angoisse de la séparation avec le Tout. Tous deux voués à l'échec, ainsi que le démontre l'état de notre civilisation.

Le conformisme

Dans une société où toutes les portes d'accès à la réunification et à l'expansion de la conscience sont interdites ou difficiles d'accès, le sentiment d'être *séparé* et l'angoisse qu'il génère atteignent une très grande intensité. On appelle cette sensation la *solitude*. Elle est perçue comme désagréable puisque l'individu ne sait plus se relier à lui-même, du fait du refoulement, pas plus qu'à la Nature, à son environnement, à l'Autre, car il manque de la sensibilité nécessaire, toujours à cause du refoulement.

Pour combattre la sensation désagréable de la solitude, l'être humain a adopté une stratégie de substitution : le conformisme, le fait de tisser un lien superficiel lui permettant de se sentir «relié» malgré tout à d'autres êtres humains, même si ce lien ne présente pas d'amour véritable. Il se conforme à un modèle de comportement unique et commun à tous, à défaut de pouvoir se relier à ses propres sensations (à lui-même) et au Réel. Il s'agit encore ici d'une compensation. Le véritable besoin serait de se relier à une dimension immatérielle, l'Amour, mais celle-ci n'«existant» plus pour l'homme matérialiste, il tentera de satisfaire ce besoin en le *projetant* sur des objets matériels, en l'occurrence, son environnement

social. Suivant le même processus, il compensera le manque
d'amour en le projetant sur la nourriture, le pouvoir ou
l'argent.

Le conformisme de la pensée, ce que l'on appelle la «sociabili-
té», n'est nullement de l'amour. Il n'est guère de société
moins amoureuse qu'une société de fonctionnaires conformistes! Cependant, le conformisme permet à chacun de moins
souffrir du sentiment de solitude. Ou plutôt il *devrait* permettre cela, un but pas toujours atteint, car toute stratégie de
compensation n'est qu'un bricolage à l'efficacité très relative.

Notre «société libérale avancée», malgré qu'elle prône dans
ses principes un très haut degré de liberté individuelle, produit des individus d'un rare degré de conformisme.

J'ai eu l'occasion de vivre avec des Polonais, au temps de
Solidarnosc et de l'occupation soviétique. Le conformisme,
chez eux, était imposé, puisque les anticonformistes finissaient
très vite en prison, ou pire. J'y ai pourtant rencontré bien plus
d'êtres libres de leur pensée et anticonformistes dans leurs
actions qu'actuellement je n'en trouve à Paris.

C'est que le *conformisme* est devenu, du fait de l'angoisse qu'induit le matérialisme, un tel *besoin individuel* qu'il n'est plus
nécessaire de l'imposer par la force. Chacun le recherche afin
de soulager son propre manque d'amour, sa «solitude».

Comme toute attitude névrotique, le conformisme induit une
surcompensation apparemment contradictoire : l'apparition
de groupes de jeunes adoptant des modes extrêmes, très
provocatrices. C'est que ces jeunes disposent encore de l'énergie de la révolte. Mais il suffit de vivre un peu avec eux pour
se rendre compte qu'ils recherchent, eux aussi, au sein de leur
bande, un espace de conformisme capable de leur apporter le
soulagement qui leur est nécessaire.

Le conformisme dans la violence est tout autant «petit
bourgeois» que celui de la majorité qui aspire à l'ordre et à la
discipline.

Soumis au même manque que l'ensemble de la société, ces jeunes n'ont qu'un seul véritable désir : s'intégrer à celle-ci, en ce qu'elle représente de biens à consommer. Il n'y a guère plus conformiste dans son habillement que le *dealer* de drogue, et s'il renonce à la BMW, c'est qu'«elle est trop voyante pour les flics». Blouson chevignon, croquenots «Doc Martins», jeans 501 surdimensionnés, peuvent être, par exemple, l'uniforme indispensable dans telle zone de la banlieue.

La société libérale ayant acquis une remarquable force par sa capacité à absorber toutes les révoltes en les introduisant dans le circuit marchand, récupérera les modes vestimentaires des ghettos pour les jeter en pâture, la saison suivante, aux jeunes bourgeois de Passy et de Neuilly. Le conformisme règne donc, sans qu'il soit besoin d'une police politique. Il est devenu un *besoin individuel*.

La seule attitude révolutionnaire qui aille à l'encontre de l'idéologie matérialiste, credo de notre culture, la seule qui fasse l'objet en France d'une véritable police de la pensée, c'est la résurgence de la spiritualité sous des formes empreintes des névroses de notre temps. Je veux parler des nouveaux mouvements religieux, ceux que l'on appelle les «sectes».

Je connais bien certains de ces mouvements pour les avoir étudiés tels la Scientologie, Moon, les Témoins de Jéhovah, Raël. Je connais bien également les associations de lutte contre les sectes, réunies au sein de l'UNADFI et du CCMM, et puis témoigner que l'information délivrée par la presse sur les sectes est le plus généralement fausse, déformée ou partiale. Elle est l'expression de la névrose sociale; elle est fantasmatique tout autant que certaines des croyances véhiculées par les sectes.

Les moyens de lutte utilisés contre les sectes vont de l'interdiction professionnelle des adeptes à la publication de listes afin de dissuader des clients de faire appel à leurs services; la dénonciation à la télévision et la radio de certaines entreprises gérées par des adeptes, le renvoi abusif (annulé par la suite) de certains médecins hospitaliers, le harcèlement fiscal, la saisie des fichiers informatiques des adeptes et leur exploitation par la police, etc.

Cette lutte sans merci qui rappelle le maccarthysme, cette suspicion généralisée à l'encontre des nouveaux mouvements religieux relèvent du fantasme collectif. En témoigne les résultats : en quinze ans, 120 procès... 16 condamnations pour l'ensemble des sectes, soit environ 100 à 200 000 adeptes!

La «puissance» supposée du mouvement mooniste, c'est... 800 adeptes; les «comptes occultes» de l'Église de Scientologie font sourire quand on sait qu'ils sont gérés actuellement par... la chambre de commerce de Paris!

Voici quels sont les dissidents actuels, ceux qui ne «jouent pas le jeu social», qui cherchent à échapper à l'idéologie majoritaire et mettent ainsi les citoyens conformistes en face de leur stratégie de fuite : les personnes engagées dans une recherche spirituelle. Que celle-ci soit critiquable ou non n'est pas la question, leurs croyances ne sont jamais examinées par la presse. Ce n'est pas de cela qu'il s'agit, mais bien de la menace qu'ils font peser sur le conformisme de la pensée.

Si la recherche spirituelle s'inscrit dans un cadre traditionnel oriental tel le bouddhisme ou le zen, le conformisme de la pensée est sauf et cette recherche est socialement admise. Mais si cette recherche menace le cadre de pensée occidental en produisant de nouveaux mythes explicatifs, une nouvelle *Weltanschauung*, une nouvelle façon de voir le monde qui mettent en danger le matérialisme, alors elle est perçue comme dangereuse et devant être détruite. L'ampleur des moyens mis en œuvre pour ce faire est étonnante, compte tenu de la modestie des délits reprochés.

Ainsi, quelques dizaines de gendarmes armés et munis de gilets pare-balles ont investi deux communautés pacifiques dites «La famille», au passé certes sexuellement... très chaud, afin de se saisir des enfants et de les sauver d'un inceste permanent, sur dénonciation de l'UNADFI. Tous les enfants furent rendus à leurs parents dans les semaines qui suivirent, leur virginité et leur état psychologique dûment contrôlés. La dénonciation s'est donc avérée purement fantasmatique, la plus légère enquête l'a démontré, sans aucun doute. Mais cette opération, d'une violence incroyable, totalement disproportionnée, les insultes et les coups que reçurent les parents, dont certains furent traînés par les cheveux hors de leur chambre; les portes enfoncées à la hache alors qu'elles n'étaient pas fermées à clef en disent assez sur la haine et la peur qui animaient les gendarmes, haine fantasmatique du conformiste envers celui qui remet en cause son confort mental : l'assoupissement de sa fonction spirituelle.

L'égalitarisme

«Liberté, égalité, fraternité»

Nous venons de voir que la *liberté* de pensée n'est pas totalement respectée dès lors qu'elle met en question, de façon concrète et pas seulement intellectuelle, les bases idéologiques du matérialisme.

La *fraternité* (l'amour fraternel) est dans notre société tout à fait relative, inutile d'en faire la démonstration.

Quant à l'*égalité*, voyons en quoi l'homme occidental en a fait un moyen de fuir le sentiment d'être séparé, la sensation de solitude, quitte à trahir l'idée originelle de ce concept.

Le mot «égalité» nous vient du siècle des Lumières. De Voltaire, de Rousseau. C'est en son nom qu'on coupa le cou du roi Louis XVI et de quelques milliers de nobles. Spinoza, Locke, Humes et surtout Kant développèrent ce concept.

Il s'agit de l'égalité devant l'Esprit : nous sommes tous UN, issus de la Conscience-Énergie-Amour. Mais nous sommes tous également *uniques*. L'être humain est à lui-même sa propre finalité. Chaque individu est son propre cosmos, son propre Dieu.

Nul être humain ne peut donc être utilisé comme le moyen d'un autre.

Là réside la grande trahison : faire d'un être libre un objet utilisé.

C'est la trahison que nous avons examinée dans la première partie de cet ouvrage. Celle de la mère, source de vie, qui utilise le bébé comme un support affectif dans le but de combler le manque qui l'habite, elle.

C'est la trahison d'une société qui a fait du mot égalité (la reconnaissance de la nature divine de chaque être humain) un concept d'uniformisation, de *standardisation*.

Notre société étant devenue essentiellement productrice-consommatrice d'objets, chaque individu, s'il veut s'y intégrer (et nous avons vu que cela lui était nécessaire s'il voulait échapper à la solitude, refouler la sensation du manque d'amour, du manque d'union), doit s'adapter à l'appareil de production. Celui-ci nécessitant des procédures standardisées, l'individu sera standardisé, sa psychologie évoluant en même temps que sa fonction.

Le sentiment de l'«union» au sein de la société sera ainsi achevé, puisque l'égalité signifiera une identité totale de toutes les psychés individuelles. La volonté d'égalitarisme, en refusant la différenciation, élimine peu à peu toute énergie individuelle qui n'est pas «standard», conforme à la norme. L'idéal de cette égalité-là, c'est la production de clones parfaits, de robots : l'*homo industrialus*.

Il n'est pas jusqu'à la différence fondamentale qui soit niée. Ainsi, les hommes et les femmes deviennent-ils de plus en plus standardisés, les *mêmes*, au lieu de se considérer comme égaux chacun dans leur position aux deux extrêmes de la différenciation sexuelle.

Les femmes tentent de s'adapter au conformisme masculin; elles se fondent dans la pensée-mâle afin de se voir reconnaître une valeur, mais elles le font en tant que mâles d'adoption et non en tant que femmes profondément différentes, c'est-à-dire non conformes aux valeurs masculines.

L'«'égalité» est devenue un autre substitut à l'union avec le Tout. Si, à l'origine, elle fut un concept spirituel, elle est devenue un moyen de fuir les responsabilités inhérentes à notre nature divine.

Oui, nous sommes égaux devant la loi, mais ce n'est pas là la voie qui mène à l'Amour. Nous avons oublié que si nous sommes avant tout égaux, c'est parce que nous partageons la même nature. Nous sommes tous frères en esprit. Nous sommes des entités spirituelles. *Nous sommes Amour*.

Le désir de symbiose dans le couple

Le besoin de se relier et de s'ouvrir aux dimensions interpersonnelles ne pouvant trouver de «lieux» où s'assouvir, les techniques d'extase ayant à peu près disparu, les drogues étant devenues de dangereux poisons, le conformisme et la standardisation de la pensée ayant échoué, l'angoisse dans notre société est à son comble. Comme le disait déjà Freud : *Il y a malaise dans la civilisation.*

L'amour dans le couple apporte-t-il un soulagement? Nous en avons déjà eu quelques aperçus. Examinons ce qui se passe lorsqu'il est utilisé en tant que moyen de fuir la solitude, la sensation du manque d'Amour.

Le désir de réunification au sein du couple peut se manifester par l'*attachement*, l'utilisation d'un autre être humain afin d'accéder à l'union.

Nous avons déjà longuement considéré cette stratégie compensatoire qui trouve son origine dans l'utilisation que la mère fait de son bébé en tant qu'outil destiné à combler ses propres manques affectifs d'adulte.

Le désir de se réunifier, qui est une problématique d'ordre spirituel, ne peut s'assouvir qu'au travers d'une évolution spirituelle. Faute que celle-ci soit aisée ou même possible dans notre société, la personne amoureuse choisira la situation la plus proche de la fusion dans le Tout : le bonheur de l'union symbiotique qu'elle a connu en tant que fœtus et dont elle conserve de vagues réminiscences subconscientes.

Durant les quelques mois de la gestation, l'être a pu expérimenter, alors même qu'il était déjà incarné dans la matière, la sensation d'Amour caractéristique de l'état d'union avec le Tout.

Il s'agit là de la seule référence à l'union disponible pour l'être humain qui n'a pas de pratique spirituelle, d'expériences méditatives ou extatiques. Cependant, l'état de symbiose que connaît le fœtus est totalement *dépendant* de la mère. Il n'est nullement dû à une activité consciente.

La volonté d'union avec le Tout, lorsqu'elle tentera de s'incarner dans le domaine du couple et de l'union sexuelle, adoptera comme modèle archétypal celui de l'union symbiotique, avec une forte connotation de dépendance et de passivité. C'est ce que l'on appelle communément l'amour dépendant.

«Je t'aime. J'ai besoin de toi. Je ne puis vivre sans toi. Tu es le soleil de ma vie. La lumière dans mes ténèbres. Ne me quitte pas. Ne me quitte pas.» Quels extraordinaires cris de fœtus adultes!

La passion amoureuse est donc une souffrance, celle de la dépendance à l'Autre, celui ou celle que l'on aime. Rappelons-nous que la souffrance est le signal qui indique que l'on n'est plus aligné avec le flux vital, que l'on fait fausse route, que l'on a «perdu le nord». Où se situe l'erreur?

Rappelons-nous également que le seul but de l'être humain est d'incarner l'Esprit, c'est-à-dire sa véritable nature. C'est là sa mission. Il en porte la totale responsabilité.

Or être dépendant de la relation amoureuse signifie que l'on abdique de sa mission, de sa charge, de son rôle dans la vie. C'est une passivité, donc une souffrance.

Mais être dépendant de l'Autre, c'est aussi l'utiliser comme un moyen, comme un outil. C'est donc nier sa qualité d'être humain, nier sa liberté. Encore une trahison. Encore une souffrance.

L'amour dépendant matérialise cette double trahison, ce refus de vivre actif, responsable et conscient en espérant retourner à l'état d'irresponsabilité et de passivité du fœtus.

Certes, on peut comprendre que pour certains la vie s'est avérée d'une dureté extrême et qu'ils n'aient qu'un seul désir, retourner «sous les jupes», dans le ventre de maman, à l'état nirvanesque où tous leurs besoins étaient automatiquement satisfaits sans qu'ils aient à agir pour les combler.

Mais il s'agit là d'un retour en arrière, de prétendre remonter le flux vital. C'est une attitude envers laquelle on peut avoir de la compassion, mais elle est dans son essence même vouée à l'échec et générera une immense souffrance, une immense impuissance dans la vie.

Au sein du couple, on a coutume d'appeler ce bricolage compensatoire au manque d'Amour l'«amour». Amour-passion, amour conjugal. D'innombrables fœtus romantiques l'on chanté, le chantent, le chanteront. Je l'ai chanté et sans doute le recherche encore un peu tant est puissant l'attrait du «puissant fond», du «puits sans fond» maternel. Mais cela n'est pas l'amour, cela est porteur de souffrance. Insistons bien là-dessus. Il nous faut faire le deuil de notre représentation de l'amour. Dire adieu à notre enfance et à nos manques. Permettre, avec un immense Amour, au petit être intérieur qui est en nous de grandir, de lâcher prise, de devenir adulte, d'*évoluer* dans le sens de la vie. Écoutez-le : «Ne me quitte pas! Ne me quitte pas!» Mais non, il ne s'agit pas de le trahir, de le nier, de l'abandonner, mais au contraire de l'Aimer, de lui permettre d'évoluer, de grandir, de nous quitter, nous, adultes. Il nous faut faire le deuil de l'amour romantique, dépendant, infantile, pour accéder à l'amour entre deux êtres spirituels, dans la liberté.

Le masochisme

La forme la plus commune de l'amour dépendant est le masochisme, le plaisir de la soumission, puisque l'impuissance est la condition *sine qua non* du retour à l'état de fœtus.

Le masochiste échappe à l'angoisse de la séparation en se *fondant* dans une autre personne qui représente pour lui le Tout, comme la mère représentait le Tout pour le fœtus. L'être aimé, qui peut être l'amant(e), le conjoint mais aussi l'homme (la femme) politique, le chanteur, l'acteur voire le philosophe ou le gourou, devient littéralement Dieu. Le masochiste le survalorise, l'idéalise afin de rationaliser sa dépendance, de ne plus avoir à décider par lui-même, à prendre des risques, à être *responsable*. Bien sûr, ce faisant, il renonce à sa liberté, au fondement même de sa nature d'être humain. D'où sa souffrance.

Cette soumission masochiste apparaît très clairement, à des degrés divers, dans les relations de couple, mais on la trouve d'une façon tout aussi répandue dans la soumission au conformisme de la pensée, aux modes vestimentaires, aux drogues. Le mécanisme reste le même. «Je me soumets au pouvoir de cela qui me fera retrouver l'état d'union passive que j'ai déjà vécu en tant que fœtus.» Le masochiste renonce à sa liberté pourvu qu'il n'ait plus à *assumer* lui-même la vie, pourvu qu'il puisse rester passif, impuissant et *sans responsabilité*.

C'est une *passion* (*passere*, souffrir) qui va à l'encontre de la vie. On trouve du masochisme dans tout amour profane, à divers degrés.

Être masochiste, c'est se faire prendre en charge par l'Autre, c'est fusionner, mais en se perdant soi-même. Fusionner en tant qu'objet passif et non grâce à une activité spirituelle consciente vécue dans la liberté et l'indépendance.

Le sadisme

Le sadique est un masochiste qui va tenter de fusionner en absorbant une autre personne au lieu de se laisser absorber par elle. La motivation reste la même; il s'agit d'échapper à la sensation du manque d'amour, à la souffrance du sentiment de la séparation.

Le sadique est tout aussi dépendant de l'Autre que le masochiste puisque seul l'Autre peut lui donner ce qui lui manque. Il est tout aussi impuissant à accéder à la fusion sans se perdre dans l'Autre. La différence réside dans le fait que cette impuissance se fait destructrice à l'extérieur de lui, au lieu de n'être destructrice que pour soi.

Le sadique est un impuissant dangereux pour l'Autre, le masochiste est un impuissant inoffensif pour l'Autre. (J'aurais pu tout aussi bien écrire : la sadique, la masochiste.)

Toute relation de dépendance, et elle est la règle générale en matière d'amour dans notre société, comporte des aspects masochistes et sadiques, même si ceux-ci restent discrets et ne se manifestent pas sous leurs formes paroxystiques.

Comment dès lors s'étonner que les relations amoureuses soient difficiles à mener à bien et nous conduisent trop rarement vers un bonheur stable?

Existe-t-il des voies plus certaines, et surtout plus sereines et constructives qui mènent vers l'Amour? Certes. Nous allons en découvrir deux, puis examinerons ce que pourrait être un amour incarné qui soit une véritable porte vers l'Amour, la fusion avec le Tout.

Les voies d'union

Nous venons de passer en revue les stratégies compensatoires les plus courantes afin de pallier au désir d'union fondamental à la sensation du manque d'amour et de la solitude. Nous venons de constater qu'elles s'avèrent inefficaces. Dès lors, comment se relier?

Puisqu'il s'agit d'un problème spirituel, écartons d'emblée toute solution matérielle et toute technique. Quelles sont les voies *naturelles* vers l'Amour divin, celles qui nous sont accessibles, de façon réaliste et concrète?

Pour ma part, j'en connais deux qui se sont avérées *pour moi* efficaces. Il en existe certainement d'autres que je n'ai pas approchées. Je n'exposerai ici que celles dont j'ai une expérience directe.

La fréquentation des Maîtres, la pratique d'une voie spirituelle, la méditation, constituent tout naturellement les voies premières de réunification, mais elles sont explicitement tournées vers le Divin. Les voies décrites ci-dessous, elles, s'intègrent totalement dans le monde profane dont elles révèlent le caractère sacré. Il est possible de les pratiquer sans aucune référence à une tradition quelconque.

Quant à la relation amoureuse en tant que voie vers l'amour, elle sera décrite au chapitre suivant.

Le contact avec la nature

J'écris ce livre dans une très simple cabane de pêcheur au toit de palme, sur une plage de l'Océan Indien, déserte jusqu'à cinquante kilomètres, à part la dizaine de pêcheurs regroupés à une heure de marche auprès d'une rivière.

Une pirogue à balancier m'attend, posée sur le sable à quelques mètres; deux langoustes que j'ai pêchées cuisent sur un feu de bois; des singes jacassent dans la forêt; un léopard est passé ce matin; par contre, les éléphants ne viennent plus guère.

Chaque matin, alors que le soleil se lève, je vais jouer dans les vagues puis je fais ma toilette, regardant le ciel virer au bleu azur.

Chaque soir, je joue encore, regardant le soleil incendier les nuages qui se sont constitués au-dessus de la forêt vierge.

De ma table de travail, je vois la plage, le ciel, l'eau verte et bleue.

Parfois, j'éclate de rire, je sens cet Amour qui construit cela inlassablement. Cette évidence, cette absolue évidence que chaque chose est comme elle est, même le cobra qui hier s'est niché dans les palmes et le requin bleu qui vient me narguer.

Tout est bien. Tout est *évidemment* au mieux. C'est la vie qui joue, voilà tout. Je dis OUI à tout cela.

Le contact avec la nature constitue la plus grande leçon spirituelle qui me soit donnée de vivre, au-delà même de la méditation et de la sexualité. Comment décrire le démesuré bonheur qui me dilate la poitrine? Tant d'amour et mon cœur est si étroit! Parfois, subitement, la perfection apparaît, je deviens sensible à l'Amour. Je le perçois. C'est l'Amour qui, physiquement, tisse les arbres, le sable, l'eau de la mer et le bruit des vagues. C'est l'Amour qui lie entre elles les molécules et les ordonne avec tendresse.

Et il ne s'agit pas là de poésie, de philosophie, mais bel et bien de la plus concrète des physiques appliquées!

L'Énergie qui fonde la matière, c'est l'Amour. En tout cas, c'est cela que je ressens et je me construis un monde d'Amour. Peu m'importe ce que disent les livres. Je sais seulement que lorsque je rencontre cette Énergie chez un Maître, alors je suis cet amour, comme parfois je SUIS le ciel et la mer. Cela est ma vérité. Mais «ces choses-là ont un sens profond et, lorsque je veux en parler, les mots me manquent». C'est que l'Amour, la source, se situe en amont du temps et de l'espace, donc du mental et des mots.

Je le trouve sur la banquise polaire, les sommets himalayens, la grande forêt d'Afrique, les sables du Sahara, le sel du désert d'Atacama. Partout où la nature règne, amoureuse.

Les tempêtes sont amour. Le naufrage que j'ai vécu était amour. Il n'est rien de *naturel* qui ne soit amour.

L'observation d'une simple fleur peut être une profonde méditation. Il y a d'immenses gisements d'amour partout. En France, l'hiver, je prends parfois mes skis et pars en randonnée à travers les Alpes. Alors l'amour est là.

Ou plutôt il est partout présent, mais la nature et la paix qu'apporte la solitude me permettent de m'ouvrir à lui et de le laisser inonder mon âme. Ainsi, j'apprends peu à peu à me laisser aimer.

Il tient à ce que je suis, à mon histoire personnelle, de ne pouvoir encore m'y ouvrir véritablement en présence de mes semblables. Il me revient d'accéder à cet amour fraternel également, c'est ma mission sur terre et j'y travaille. C'est là le sens de ma vie personnelle.

Je constate que beaucoup de gens ont peur de cet amour de la nature, peur de se laisser aimer par elle. Aussi leur faut-il beaucoup de complexité, de matériel, d'équipement. Ils montent des «expéditions»; ils s'ensevelissent sous du matériel par peur de rencontrer la Nature qui leur révélerait le manque refoulé dont ils souffrent si abominablement, ainsi que je peux le voir dans le cadre thérapeutique. Pourtant – j'en ai fait l'expérience – il n'est nul lieu sur terre, même la banquise polaire ou les sommets himalayens, qui ne soit accessible avec pour tout matériel ce que peut contenir un simple sac à dos. Toute complexité inutile n'est que le paravent de l'angoisse.

Se réunifier avec la nature, avec le Divin est possible, facile, simple. C'est une voie. Il suffit de l'emprunter.

La création

Que fait l'amour? Rien. Il EST.

Étant, il crée. Créer, c'est incarner l'amour, être amour. L'artiste, au moment où il accomplit le geste créateur, est divin.

Si nous sommes pourvus de sensibilité, nous pouvons discerner, au milieu de toute la production que l'on nous présente comme artistique, l'inimitable fragment d'éternité qui nous touche au plus profond, au-delà même de l'émotion. Cette vibration subtile d'une fréquence extraordinairement élevée qu'est l'*esthétique*. L'artiste a su matérialiser cette vibration qui maintenant entre en résonance avec notre propre sensibilité. Alors s'établit une *union* entre toutes les âmes qui ont été, sont, seront touchées par la vibration émise par l'artiste. Il s'agit d'une communion spirituelle, d'une fusion avec le Tout. Les spectateurs de l'œuvre, l'artiste, le Divin, sont unis en un acte d'amour, le même acte d'amour qui nous unit à la nature, si nous y sommes sensibles.

J'ai longtemps gagné ma vie comme photographe, publié de très nombreux reportages, réalisé quelques expositions et un album.

Cependant, il ne s'agissait pas là d'une profession, d'un travail, d'une fonction, mais d'un *état d'être*. *J'étais*, absolument, totalement, infiniment, dans l'acte de photographier.

Quand dans le viseur de mon appareil photographique apparaissait la beauté, la perfection, la vibration sacrée, alors, comme en une extase, «J'ÉTAIS». Je ressentais la Conscience-Énergie-Amour. J'étais.

La voie de la créativité est ouverte à tous. Ici aussi la technique, la complexité ne sont bien souvent que les paravents de l'angoisse. Créer est *simple*, accessible à tous, pourvu que l'on dispose encore d'un reste de sensibilité. C'est une voie divine. On voit bien en quoi le refoulement de la haine en coupant l'être de ses sensations, de sa sensibilité, l'isole du Divin et de l'amour créateur.

L'artiste, c'est-à-dire vous, moi créant, est avec le méditant et l'amant extatique, l'être le plus proche du Divin qui soit.

L'art n'est pas affaire de technique. Créez! Décidez de créer! Et vous créerez. Ne laissez jamais le jugement de ceux qui manquent de sensibilité amoindrir votre joie de créer. C'est cela que vous avez subi durant toute votre enfance. Arrêtez de vous laisser mutiler de votre dimension spirituelle, celle du Créateur.

Être aimant est une décision, celle de renoncer au refoulement. Être créateur est une décision, celle de renoncer au refoulement. Alors, vous confronterez votre destin d'être humain. Souffrance incluse. Il suffit de dire «OUI». C'est une décision. *Une décision amoureuse.*

Chapitre VIII
Incarner l'amour

Nous avons évoqué quelques stratégies compensatoires au manque d'amour :

- le matérialisme;
- la pornographie;
- les drogues;
- le conformisme;
- l'égalitarisme;
- l'«amour» dans la dépendance.

Toutes sont vouées à demeurer partielles et insatisfaisantes, car elles :

- tentent de satisfaire un besoin spirituel en lui apportant une solution matérielle et technique;
- nient la spécificité de l'être humain en le considérant comme un objet, le rouage d'une société ou un moyen d'arriver à ses fins.

Par contre, nous avons acquis un aperçu de deux voies (parmi d'autres) qui semblent combler le désir d'union d'une façon efficace :

- le contact avec la nature,
- la création artistique.

Voici ce qui caractérise ces deux voies :

- l'absence d'une volonté de posséder ou contrôler cela qui génère le sentiment d'amour.

- Elles sont des voies à la fois *actives* en ce qu'elles impliquent une décision (admirer, créer) et *essentielles* en ce qu'elles se réfèrent à un *état d'être* et non à la possession d'un quelconque «objet aimé» ou à la maîtrise d'une technique. Il s'agit de sentir l'*amour incarné* par la nature ou de se sentir créateur, plutôt que de «faire» un voyage ou de réaliser une œuvre d'art. C'est là une action *essentielle*; un «être» plus qu'un «faire».

- Cela qui génère l'état d'amour en soi est totalement respecté, accepté tel qu'il est. Il n'y a pas de volonté de le transformer, le changer, l'adapter à ses besoins, le contrôler. Il n'y a pas tentative de s'approprier la nature ou la création artistique. L'œuvre d'art, une fois créée, est vouée à être communiquée à d'autres êtres humains.

Ce constat nous permet, si nous le transposons dans le domaine des relations du couple, de définir ce que pourrait être un amour incarné qui soit le reflet de l'Amour et comblerait le désir d'union avec le Divin, apportant ainsi un bonheur véritable.

L'être capable d'aimer présenterait les caractéristiques suivantes :

- Il reconnaîtrait l'Autre en tant qu'être spirituel libre et non un «objet d'amour» dans la dépendance.

- Il n'utiliserait pas la relation en tant que compensation aux manques affectifs de l'enfance, mais résoudrait ceux-ci indépendamment.

- Il ne tenterait jamais de contrôler l'Autre, de le transformer, de l'adapter à ses besoins.

- Il accepterait l'Autre tel qu'il est. Il s'accepterait lui-même tel qu'il est.

- Il dirait un immense et inconditionnel OUI à la relation.

- Ce OUI serait le reflet d'une décision consciente et non de l'avidité due à un manque affectif inconscient.

Nous voici munis d'une très belle et très complète définition de l'amour incarné en tant que reflet de l'Amour.

- L'amour est une *décision*, une action consciente et non une réaction produite par l'inconscient qui assimile à tort la relation présente (celle des deux amants) à celle portant l'empreinte du manque du passé (avec la mère ou le père).

- L'amour est une *énergie* qui va en sens inverse de celle qui permet le refoulement. Celui-ci isole l'individu, le coupe du réel, de la perception de sa nature spirituelle. L'amour au contraire relie l'individu, le réunifie avec le réel et lui rend la plénitude de la perception de sa nature spirituelle.

- L'amour est un OUI à la vie plus fort que le NON que nous persistons à opposer aux situations de souffrance subies durant l'enfance.

L'action amoureuse

L'amour se construit jour après jour. Il est une chose vivante susceptible de se dégrader, de disparaître, de se faner. Il faut donc le maintenir en vie, l'arroser, le nourrir, le laisser se développer, mûrir, grandir, évoluer et peut-être même disparaître.

De même que les parents réellement aimants acceptent que leurs enfants, un jour, deviennent indépendants et les quittent, de même les véritables amants acceptent que l'amour qui les unit puisse changer de nature, évoluer en même temps qu'eux-mêmes et peut-être un jour se transformer en amitié ou en autre chose. Il n'y a là-dedans aucune *prévision*, aucune attention attachée au futur, seulement une totale acceptation de ce qui est dans le présent, sans peur de l'avenir, ni la crainte de voir l'amour disparaître ou se perpétuer toute une vie. *Les amants n'ont pas besoin l'un de l'autre.* Ensemble, leur vie est riche, belle, fructueuse, amoureuse. Séparés, ils pourraient tout aussi bien vivre une vie riche, belle, fructueuse et amoureuse. Ils en sont parfaitement conscients, aussi ne vivent-ils pas dans la peur de perdre l'Autre.

Libérés de la peur, ils peuvent vivre *intensément l'instant présent*, leur attention reste totalement disponible. Ils n'ont pas d'«arrière-pensées». Quand ils font l'amour, ils sont entièrement, totalement, absolument dans la sensation de leurs sexes qui se frôlent, accentuent le contact, se cherchent et se pénètrent. Ils ont accès à la plus subtile de leurs sensations puisque toute leur attention est disponible. Ils ne *refoulent* plus, ce qui leur permet de vibrer à un très haut niveau énergétique et de dépasser la génitalité pour atteindre le véritable orgasme psychique. La fusion de deux âmes, l'accès à la fusion transpersonnelle et, au-delà, au Divin.

L'état d'amour est une action consciente et permanente. C'est un *état d'être actif*. Cette action ne peut être entreprise par des êtres passifs, pilotés par leur inconscient, niant leur état d'êtres spirituels, c'est-à-dire leur *conscience*. C'est une action d'êtres libres.

Dans son ouvrage majeur, *L'Éthique*, Spinoza, inépuisable source de sagesse, décrit une telle action qu'il oppose à la passion. L'homme véritablement actif est celui qui, libéré de l'emprise de son inconscient (le manque affectif, le NON à la vie), agit toujours d'une façon totalement consciente. Cet être-là décide de ce qu'il convient de faire en fonction de la situation telle qu'elle est et ne réagit pas aveuglement en fonction de ses fantasmes. Spinoza va jusqu'à dire que la seule véritable action est celle qui est menée par l'homme libéré de son inconscient. Les autres actions ne sont que des réactions, des passivités, des soumissions aux dictats de l'émotionnel : des *passions*.

L'être piloté par les nécessités et les besoins imposés par le refoulement est un brouillon peu efficace; l'être conscient, lui, est totalement efficace avec le minimum d'action apparente. Les arts martiaux nous en donnent un bel exemple.

Il n'est de véritable puissance et de véritable jouissance que dans la conscience, au-delà de l'action *apparente*. Ici, Spinoza rejoint Lao Tseu et le concept de *wu-wei* : l'action réelle, efficace, au-delà de l'agitation stérile. Pour nous, matérialistes, l'action consiste à mettre en branle beaucoup d'énergie que l'on applique à des objets matériels. Cependant, si cette activité n'est pas guidée par une véritable conscience, elle ne sera pas efficace. Elle ne sera pas une action véritable.

L'élément véritablement actif est la conscience, qui ensuite seulement se matérialise sous la forme d'une action physique. *Seule l'intention totalement consciente est une véritable action.*

Dans le domaine de la relation amoureuse, cela est particulièrement sensible. Si l'amour véritable est un *état d'être actif,* alors on ne peut qu'être aimant : incarner l'état d'amour et non rechercher à être aimé/consolé. Toute action qui n'est pas issue d'un état d'amour inconditionnel n'est pas véritablement une action amoureuse, en dépit des apparences.

Ainsi, j'ai été marié trois années avec une femme que j'aimais infiniment et que j'aime toujours. Elle me «donnait» beaucoup. Se plaisait à repasser mes chemises, me faisait souvent de petits cadeaux, n'oubliait jamais mon anniversaire, aimait cuisiner pour moi. Cependant, en échange de ces dons, elle me demandait de me conduire selon l'image qu'elle avait d'un mari. Ces cadeaux, émis du fond de son cœur, très sincèrement, lui servaient d'assurance. En échange, elle me demandait de ne pas l'abandonner. Elle avait, profondément enfouie en elle, l'absolue certitude qu'elle serait délaissée ou qu'elle n'était pas importante à mes yeux.

Cette peur interdisait à l'Amour d'apparaître. Notre «amour» était marchand, matérialiste, même s'il possédait toutes les potentialités d'un amour véritable.

À l'époque, j'étais vide de moi-même et n'avais à peu près rien à lui donner; ne peut donner que le riche. La seule véritable humiliation du pauvre est de ne pouvoir donner.

Ainsi, ma femme me «donnait»-elle sa peur et moi, je lui «donnais» mon vide. Et la relation mourut d'inanition, faute d'être arrosée de nos sources d'Amour. On voit bien que les «preuves d'amour» que me donnait ma femme n'étaient pas la manifestation d'amour inconditionnel, mais d'une peur inconsciente et *ne constituaient pas des actes d'amour*. Elles n'étaient pas des actions efficaces, faute d'un *état d'amour*.

Le don

L'Amour est à l'origine de la vie. C'est la Conscience-Énergie-Amour qui crée l'espace, le temps, la matière. L'Amour est la source. Une source *donne* son eau. C'est son état d'être. Le soleil, source de presque toute vie incarnée sur notre planète, *donne* sa lumière. Cela est dans sa nature. L'arbre *donne* ses fruits.

Aimer, c'est donner. Ou plutôt l'état d'être aimant s'incarne dans le don. Comme le soleil donne sa lumière. Aimer produit une inépuisable source d'énergie qui se répand autour de l'être aimant.

Si nous restons dans le manque originel de celui ou celle qui, enfant, n'a pas eu son comptant puisqu'il n'a pas été au contact avec une source inépuisable d'amour inconditionnel, nous aurons toujours *peur de manquer*. Le refoulement limitera notre énergie, la source du don. Nous nous percevrons nous-mêmes comme étant limités; il nous semblera que donner nous appauvrira. Donner nous fera craindre de manquer, de nous épuiser, comme on épuise un stock limité de marchandises.

Le refoulement, le NON à la vie et à notre nature spirituelle nous a fait nous dessécher peu à peu et nous ne pouvons plus concevoir qu'étant de nature spirituelle, le *don*, reflet de l'amour, puisse être inépuisable. Donner, c'est créer de la vie pour les autres, mais surtout pour soi-même et donc devenir plus riche, plus puissant en esprit.

Aimer ne consiste pas à donner des objets, mais consiste à ÊTRE pleinement soi-même, être sans peur, accepter ce qui est. Cet état ne connaît pas de limitation.

Le couple véritablement aimant vit dans une richesse existentielle incroyable, inimaginable pour le commun des mortels. J'en connais quelques très rares exemples. Ils sont d'une infinie beauté.

La *peur de manquer* nous interdit l'amour. Voici pourquoi le véritable obstacle à l'amour n'est pas la haine (qui est son opposé énergétique) mais bien la peur. Celui qui ne connaît pas la peur ne connaît pas la haine. Il assouvit immédiatement sa colère. Il peut combattre un ennemi, mais ne le hait point sitôt le combat terminé.

C'est la peur de ressentir nos sensations qui est à l'origine du refoulement. C'est ce NON à expérimenter les leçons de la vie qui nous empêche d'être aimant. Voici pourquoi le refoulement tient une place centrale dans la problématique de l'amour incarné. Pas seulement parce qu'il interdit une sexualité libre et heureuse, mais parce qu'il permet à la haine de persister tout au long d'une vie humaine. Abandonnez la peur, le refoulement cesse, la haine disparaît. Et que dévoile-t-elle? *L'inépuisable source d'Amour* qui réside en notre centre.

Les psychanalystes disent d'une personne obsédée par l'idée d'amasser, de thésauriser, de ne pas donner, qu'elle est restée au «stade anal». Et même «sadique anal». «Sadique», car elle cherche à accumuler, «avoir pour elle», jusqu'à s'approprier un autre être humain. «Anal», parce que la psychologie occidentale a coutume de considérer comme responsable de cette névrose les traumatismes de l'apprentissage à la propreté : «la mise sur le pot». La mère a été «fourrer» son nez jusque dans le caca de bébé, s'extasiant ou grondant selon la qualité et la quantité de la production. Bébé en est devenu sadique, il y a de quoi! Depuis, il «garde» pour lui. Il est avare de son amour et reste constipé.

Quant aux bébés dont la production s'échangeait contre une récompense («Oh! qu'il est beau le gros caca à son bébé!»), ils en ont gardé un solide caractère mercantile. «Échangerais production d'amour, bonne qualité, contre production, qualité et quantité en rapport.» Ils ne peuvent donner qu'après avoir acquis la certitude qu'ils recevront l'équivalent ou plus, si possible, en retour.

Dans ces deux cas, le don est perçu comme un appauvrissement et non un enrichissement. L'accès à l'amour est donc impossible. Le don est perçu comme un sacrifice, une négation de soi-même. Ainsi, l'expression «don de soi» est-elle perçue comme «destruction de soi au profit des autres», alors que le don de soi consiste à laisser s'écouler hors de soi une inépuisable source d'amour. C'est un état, celui d'amour.

Si le don est ressenti comme une privation et non une joie, alors la vie, qui n'est qu'un gigantesque don permanent, apparaît triste, risquée, marquée par la peur de se voir un jour démuni de ce que l'on a donné.

Ce type de caractère rappelle l'avare de Molière. «Ma cassette, ma cassette», répète-t-il apeuré, serrant très fort sur son étroite poitrine une cassette totalement vide...

La vie, c'est le don. Les êtres pourvus d'une grande vitalité, ceux qui n'ont plus à utiliser leur énergie pour refouler des émotions négatives, tout naturellement débordent et donnent.

Il n'y a pas là une relation mécanique de cause à effet. Par exemple, il ne suffirait pas que vous preniez la décision, demain, de donner cent francs par jour aux mendiants dans le métro parisien pour lever le refoulement et tout d'un coup retrouver une vitalité qui vous permettrait de devenir riche et aimant. Il s'agirait alors d'une relation marchande, d'une thérapie comportementale aux effets limités.

C'est plutôt l'inverse qui doit se produire. Aimez-vous, occupez-vous de votre enfant intérieur, et vous retrouverez alors plus de vitalité au fur et à mesure que le refoulement cédera. Vous produirez plus de vie, vous serez plus efficace, plus vivant, plus abondant.

Tout naturellement et sans y penser, vous *serez plus vous-même*, vous répandrez tout autour de vous votre joie de vivre, votre qualité d'être, l'amour que vous commencerez à accepter d'incarner. Cet amour coulera de vous sans que vous y preniez garde et vous permettra de *donner;* vous ne compterez plus ce que vous donnerez, puisque toute peur de perdre vous aura abandonné. N'ayant plus peur, vous vous ouvrirez aux Autres, à la vie, vous recevrez donc plus. Recevant plus, votre vitalité sera plus grande, vous donnerez plus, comme un soleil plus chaud. Le don, incarnation de l'amour, vous permettra de *ressentir* encore plus fort cet amour ainsi matérialisé par vous-même; vous vous sentirez amour et donnerez toujours plus.

Et ainsi, de cycle en cycle, vous vous établirez définitivement dans l'amour. Vous aimerez et vous laisserez aimer. Vous direz OUI à la vie, à l'Amour, à la Conscience, à l'Énergie.

Vous serez vivant. C'est-à-dire aimant.

Quelques aspects de l'amour

L'amour est source de vie

Tout acte qui promeut la vie est un acte d'amour. Tout acte qui diminue l'élan vital est un acte néfaste. On pourrait même dire qu'il est un acte de haine inconsciente, une hostilité profondément enfouie.

Peut-être avez-vous rencontré de ces personnes sans cesse occupées à recueillir des informations négatives; à les transmettre en les aggravant; à médire, juger, diffamer. Éloignez-vous d'elles, car elles portent le désamour, la haine. Elles portent le malheur, elles diminuent l'élan vital de tous. En particulier le vôtre, même si elles jurent avec la plus entière sincérité vous aimer, vouloir votre bien et qu'en apparence elles le font. Qu'il est triste le sort du bébé ou du partenaire qui est venu se «fourrer» entre leurs pattes!

Tout environnement où circulent des informations négatives tue l'amour. Ainsi, les informations de la presse, de la radio, de la télévision qui transmettent d'une façon préférentielle les mauvaises nouvelles sont-elles un facteur très important de stress, de dépression, de désamour. Évitez-les. Le soi-disant «besoin d'être informé» peut fort bien être satisfait par la lecture d'un seul hebdomadaire. Inutile d'entendre et de voir à trois reprises les nouvelles de la dernière catastrophe ou d'un suicide spectaculaire. Quelles «informations» vous donnent les images des corps suppliciés complaisamment exposés à la télévision?

L'amour est liberté

Laisser sa liberté à tout être vivant est un acte d'amour. Interdire à un être de vivre sa liberté est un acte néfaste. Ainsi la jalousie. Si vous avez peur de perdre l'être aimé, soignez votre peur et non l'être aimé. Sa névrose, si névrose il y a, lui appartient. S'il désire de façon compulsive faire l'amour avec quelqu'un d'autre que vous, c'est sa responsabilité et sa liberté. Votre responsabilité et votre liberté sont de déterminer si vous choisissez ou non d'accepter votre partenaire tel qu'il est.

De même, si vous avez le fantasme de faire de votre fils le mathématicien que vous rêviez d'être, apprenez les mathématiques et laissez votre fils devenir le jardinier-paysagiste que lui désire être.

Si vous avez une peur terrible des accidents, soignez votre peur et laissez votre femme participer aux courses automobiles qui sont (à tort ou à raison, ce n'est pas le problème) sa grande passion, ce qui la rend heureuse dans la vie.

L'amour, c'est respecter l'Autre

Seul le respect permet à la vie de se développer. Laisser le
Divin créer, même s'il ne le fait pas selon vos fantasmes. Ce
sont vos fantasmes qu'il vous faut alors examiner.

Si vous aimez véritablement quelqu'un, qu'il soit votre enfant
ou votre partenaire pour la vie, votre seul souci devrait être de
lui apporter votre soutien afin qu'il croisse et se développe
spirituellement. Qu'il incarne dans le quotidien toutes ses
potentialités. Qu'il ou elle s'épanouisse selon ses propres buts
et par ses propres modalités et non qu'il ou elle vous apporte
le réconfort dont vous avez besoin.

Vous ne pouvez aimer véritablement que dans la mesure où
vous aimez l'Autre tel qu'il est, telle qu'elle est. Et non tel ou
telle que vous voudriez qu'il ou elle soit.

Le respect, c'est *respicere*. Regarder l'Autre, le voir vraiment.
Connaître sa *réalité* au-delà de ce que vous imaginez qu'elle
est. Ces imaginations ne sont que les projections de vos désirs
inassouvis.

L'amour, c'est connaître l'Autre

Lorsque vous ne serez plus obsédé par vos propres manques,
vos propres traumatismes, alors seulement vous pourrez
appréhender la *réalité* de l'Autre. Vous percevrez dans quel
monde mental il vit. Chacun crée son propre univers mental
et celui-ci est unique. Votre réalité n'est pas celle dans laquelle vit votre amant(e)!

Nous vivons chacun dans notre propre univers mental et communiquons grâce à ce que ces univers possèdent en commun,
cela sur quoi nous sommes tous à peu près d'accord et que
nous nommons alors la «réalité» : cette part de notre univers
mental commune à tous. Si vous désirez partager la vie de
votre partenaire, il vous faudra tout d'abord reconnaître
qu'une partie de son univers vous est inaccessible et accepter
de le considérer en tant qu'être véritablement libre et

indépendant, extérieur à vous. Accepter qu'il puisse ne pas avoir la même perception de la réalité que vous. Accepter qu'il puisse disposer et jouir d'un autre univers que vous. Vous n'êtes pas *tout* pour lui.

Vous ne pourrez accepter cela si votre peur de la solitude est encore trop présente. Il vous sera en effet difficile de faire l'amour, laisser votre âme fusionner avec son âme à lui ou elle et, en même temps, accepter votre solitude, le fait que vous ne viviez pas totalement dans le même univers mental, dans la même réalité.

Le fantasme de fusion symbiotique, de totalement pénétrer et contrôler la réalité de l'Autre, est une illusion. Il est un fantasme de toute-puissance, celle du fœtus dont chaque besoin était satisfait sans qu'il ait d'efforts à faire. Il possédait alors deux univers : le sien et celui de sa mère. En fait, dans sa réalité propre, il possédait l'univers entier : il *était* l'univers.

Le fantasme de la mère dévoreuse, castratrice, est une projection du désir de retrouver cette toute-puissance. «Je suis *tout* pour mon bébé. Je suis la vie, il m'appartient.» C'est Kali, la déesse de la destruction, qui dévore ses propres créations. C'est aussi l'amante possessive qui veut être «tout» pour son partenaire.

Accepter de rencontrer l'Autre en tant qu'être radicalement différent, c'est devenir adulte, c'est accepter de confronter le fait que nous vivons chacun dans notre propre univers mental. Nous sortons alors du fantasme de la toute-puissance.

Nous ne voyons pas le réel, nous ne voyons que notre part de réalité, notre point de vue fragmentaire.

L'acte d'amour commence par *voir l'Autre* tel qu'il est. Reconnaître sa spécificité fondamentale, son étrangeté par rapport à nous. Notre solitude. Si nous y parvenons, nous découvrons à quel point est fantastique l'exploration de l'univers de l'Autre.

À chaque fois que je découvre une nouvelle compagne, je ressens la même excitation que lors d'un départ pour un voyage dans un pays lointain. Découvrir un nouveau monde émotionnel, de nouvelles façons de réagir aux caresses, un nouvel univers mental, est la plus belle des aventures humaines! Qui dira assez la joie d'explorer l'Autre?

Cette exploration ne cesse jamais. Des années après, je continue à découvrir chez telle ou telle amie un aspect d'elle, une beauté que jusqu'alors je n'avais su voir. Quelle fantastique leçon de vie!

Je sais bien que jamais je ne pénétrerai totalement dans les univers de mes amies. Le plaisir, et il est immense, est d'explorer, d'apprendre, de découvrir; pas de posséder, ni de contrôler qui sont les buts de ceux qui ont peur de perdre.

J'accepte totalement ma solitude. Je la partage avec tant d'autres solitudes! Et nos solitudes, en elles-mêmes, sont si belles; elles sont nos individualités, nos spécificités, le reflet de l'infinie variété des incarnations que peut prendre la Conscience-Amour-Énergie. C'est en cela que l'«égalitarisme», en niant nos spécificités, nos différences, constitue une trahison. *L'amour, c'est rechercher la différence de l'Autre pour la connaître.*

L'amour et l'analyse

Cette volonté de connaissance de l'Autre est le reflet du sens de l'incarnation : aller en tant qu'être matériel vers toujours plus de conscience. Là réside, nous l'avons vu, la fonction spirituelle inhérente à l'état d'être humain. «Connais-toi toi-même et tu connaîtras les Dieux.» La connaissance absolue de soi-même équivaudrait à la connaissance totale du Réel, la fusion avec le Divin.

Si nous éprouvons un si fort désir de *co-naître* l'Autre, c'est qu'ensemble nous nous apportons mutuellement l'aide indispensable qui va nous permettre de nous découvrir nous-mêmes et, au-delà, d'incarner le sens de la vie. Naître à notre dimension spirituelle. Incarner l'Amour et la Conscience.

Il est une fort belle expression biblique qui exprime cela. On y trouve, utilisé dans le sens de «faire l'amour», le mot «connaître». «Ils se connurent» signifie qu'ils firent l'amour. On ne peut mieux exprimer à quel point la fusion des deux amants dans l'orgasme est une voie de connaissance totale du Sens, mais aussi que la connaissance en elle-même est une voie de fusion, d'Amour.

La relation de couple, sa fonction de connaissance de soi-même, de l'Autre et donc du Réel, ainsi que sa fonction sexuelle s'inscrivent dans la dimension spirituelle de l'être humain.

Il est une approche sacrée du couple et de la sexualité dans toutes les traditions. Actuellement, nous disposons en Occident du Tantra qui nous permet de réintégrer cette dimension dans notre relation à l'Autre. Même si le Tantra proposé en France ne représente pas vraiment la voie traditionnelle, il a le mérite d'exister et de permettre de réaliser un premier pas dans la démarche spirituelle.

Ce concept d'une fonction spirituelle de progression vers la connaissance de soi, dont serait investi le couple, permet d'expliquer tous ses problèmes.

Il est deux approches de la connaissance :

• la première est l'analyse, la pensée logique, le mental;

• la seconde est la fusion, la pensée intuitive, l'amour.

«L'ana-lyse» (*lysos*, couper) consiste à disséquer le réel. À le diviser en concepts fondamentaux, à hiérarchiser ces concepts, à les organiser en une structure représentative de ce que le mental perçoit du réel.

Ainsi l'intelligence c'est *inter-legere* : relier entre eux, par des liens de causalité, de similitude ou de non-similitude les concepts que l'on a extraits du réel en l'analysant. Avoir l'intelligence de quelque chose, c'est avoir reconstruit dans notre pensée une image de cet objet que l'on avait auparavant disséqué.

La pensée logique exerce une totale emprise sur la fonction psychologique en Occident. Ainsi, cette impérieuse volonté de connaître l'Autre dans la relation amoureuse se traduira-t-elle par des tentatives de le «comprendre» par le mental, de le disséquer, l'analyser, le couper en petits morceaux comportementaux.

Les jeux des enfants sont très représentatifs de cette démarche. Regardez comme ils explorent le monde en démontant des objets puis en tentant de les reconstituer. C'est de cette façon qu'ils comprennent l'univers matériel. Dans «comprendre», il y a *cum-prehendere*, saisir et attirer à soi. La compréhension par le mental est un acte de possession. L'amant qui tente de comprendre l'Autre uniquement d'une façon logique tente en fait de se l'approprier.

La pensée logique répond à deux caractéristiques seulement, qui la définissent toute entière.

Pour exister, elle doit *prévoir* ce qui va arriver et ce de façon *certaine*. Toute expérience scientifique doit répondre aux critères de *prévisibilité* (si je chauffe de l'eau pure à 100 °C, elle bout) et de *répétitivité* (elle bout chaque fois à 100 °C).

Vouloir «connaître» son amant au moyen de la seule fonction logique, avec le mental, c'est vouloir le «comprendre», se saisir de lui par la pensée, se l'approprier, vouloir *prévoir* ce qu'il va faire et parvenir à savoir, d'une façon certaine, la façon dont il va se comporter.

Un(e) amant(e) dont le comportement est totalement prédictible et répétitif est un partenaire que l'on peut aisément *contrôler* et *manipuler*. Il n'est plus totalement un être humain, puisqu'il n'a plus vraiment son auto-déterminisme. Il devient une sorte de marionnette inoffensive que l'on peut actionner en fonction de ses besoins.

La volonté de *rationaliser* à toute force les relations au sein du couple correspond à une tentative de s'approprier et contrôler l'Autre. Il ne s'agit alors ni de connaissance (co-naissance) véritable ni bien sûr d'amour, mais d'une forme dérivée du sadisme : la volonté de contrôler l'Autre afin de se sentir tout-puissant, comme le fœtus dans le ventre de la mère qui est à lui-même son propre univers.

Le mental est «dia-bolique» *(dia-boléin)* : il coupe, sépare, analyse et re-présente. Il ne perçoit pas, ne *ressent* pas. La seule véritable connaissance se trouve dans l'Amour, la fusion, le ressenti.

Ainsi, au moment où j'écris ces lignes, j'ai les pieds enfouis dans le sable de ma case. Tout autour s'agitent de petits crabes qui ont l'air de beaucoup apprécier l'endroit. Ils creusent des trous dans le sable, s'y dissimulent, mènent une vie sociale subtile et apparemment fort complexe.

J'ai le choix entre deux voies afin de les connaître. Soit je me saisis de l'un d'eux, lui arrache les pattes, les pinces, les yeux, lui ouvre le ventre, lui étale les entrailles sur une planche à dissection, épingle chacun de ses organes et lui donne le nom adéquat que je suis allé chercher dans une encyclopédie en quarante volumes. Alors, je «connaîtrais» ces crabes. Je pourrai *nommer* chacun de leurs organes, pourrai en situer la sous-famille, la famille, l'espèce, la branche, le genre, le nom savant. C'est la «connaissance» par le mental, par l'intellect, par l'analyse.

J'ai rencontré une femme qui approche ainsi son mari. Elle est malheureuse avec lui et se comporte comme une entomologiste qui étudierait un insecte. Elle ne dit pas : «Je ressens ceci, j'ai peur, je suis en colère, je me sens comme une petite fille...» Non, elle analyse avec une minutie extrême chaque comportement de «son» homme, l'étudie avec la plus grande logique, le compare avec ce qui se fait habituellement, cite quelques exemples d'amis à elle qui se comportent autrement, évalue la gravité de la faute, c'est-à-dire la variation entre le comportement de son mari et «ce qui se fait» chez les autres (elle ne mentionne pas ce que cela lui fait à elle...), enfin détermine qu'il s'agit là d'une injustice flagrante, d'une faute à réparer, d'un comportement à corriger.

Peu de sensations. Analyse, jugement, faute, réparation, comportement à changer, solution à rechercher : c'est sa forme d'«amour» à elle. Un «amour» de mante religieuse qui dissèque le mâle, l'«amour» du chasseur pour son gibier. Elle veut «avoir» son mari à elle. C'est tout. Elle ne veut pas un homme, elle veut *son* mari qui se comporte comme *doit* se comporter un mari selon le *modèle* social.

Chez cette femme, le mental prédomine. Elle vit une grande passion avec cet homme, clame la profondeur de son «amour» : «Si seulement il...»

Elle est un tribunal d'amour. N'est-il pas grotesque d'associer ces deux termes? En fait, elle est «absurde». Elle est sourde (*ab-surdus)* à elle-même. Ne percevant plus ses propres sensations, elle doit guider sa vie selon les schémas mentaux qui lui ont été fournis par son éducation. Elle continue donc de «désirer» selon un schéma fourni par son environnement. Elle n'*apprécie* pas ce qu'elle vit en fonction de ses seuls sentiments, mais l'*évalue* selon le modèle idéal, idéologique, social de l'amour conjugal. Elle ne peut en concevoir d'autres, puisqu'elle se coupe de sa sensibilité et de sa créativité.

Ça, c'est l'«amour» du mental. Le plus répandu, hélas! La pseudo-connaissance de l'Autre est faite de jugements, de condamnations ou d'approbations. Mais cette femme «connaît»-elle son mari réellement? Ou bien l'évalue-t-elle selon les satisfactions et insatisfactions qu'elle en tire?

Cet exemple peut paraître quelque peu caricatural, pourtant, à l'écoute des hommes et des femmes qui s'expriment en thérapie, on ne peut que constater que l'«amour mental» est la forme d'«amour» la plus répandue, ce qui est tout à fait normal dans une culture où la logique et le cartésianisme construisent notre réalité.

Quelle est la force qui nous isole de notre «intelligence du cœur», de notre pensée holistique, intuitive? Le refoulement, bien sûr, puisque la pensée intuitive, le cœur, le sentiment sont des sensibilités. Ils se nourrissent de sensations. Or le refoulement consiste à se couper de ses propres sensations afin de ne pas ressentir une souffrance que l'on a jugée, enfant, insupportable. Cette souffrance que l'on persiste à refuser alors même qu'elle est devenue inconsciente est une fermeture à l'amour, à la vie, au sentiment d'exister puisque lui aussi se nourrit des sensations.

Et que refoule-t-on? La peur, le sentiment d'impuissance du bébé qui ne peut intervenir lorsqu'il est traité d'une façon erronée et la haine qu'il en éprouve.

Peur-impuissance-haine sont toujours liées, car, nous l'avons vu, un être puissant n'a pas de raison d'avoir peur et laisse s'extérioriser sa colère. Celle-ci évacuée, la haine n'a pas de raison d'être.

Ultimement, si nous nous réfugions «dans le mental», c'est que nous *avons peur*. Peur d'affronter la vie, peur de la Conscience. Peur de l'Énergie. Peur de l'Amour. C'est cette peur/haine-là qu'il nous faut soigner. Alors nous redeviendrons aimants et puissants. Nous serons *actifs*, libérés de l'automaticité du mental. Nous dirons OUI à ce qui est. À l'Amour. *Nous ne vivrons plus avec le mental à la place du cœur.*

Amour et connaissance

Mais revenons à mes petits crabes qui me regardent écrire de leurs très curieux yeux en forme de bâtonnets.

J'ai une autre possibilité si je veux les connaître : c'est de partager leur réalité. M'approcher d'eux, accepter de leur être physiquement très proche. Je dois donc *ne pas avoir peur* d'eux.

Je dois prendre le risque qu'ils me pincent. Je dois affronter l'inconnu d'une relation, c'est-à-dire du partage de leur réalité. Et leur réalité de crabe est très différente de la mienne.

Donc, je vais m'approcher d'eux. Peu à peu, je ressentirai de l'affinité pour eux; je commencerai à les aimer, à ressentir ce que nous avons en commun, ce qui nous relie. Je partagerai avec eux le sentiment d'exister, je percevrai que nous sommes deux formes différentes de la vie.

Là réside la racine de l'acte d'aimer : se sentir proche, partager quelques points communs, un fragment d'univers.

Si je veux poursuivre la rencontre, alors moi-même vais «devenir crabe», me fondre peu à peu dans leur univers, tout en conservant une parfaite conscience de moi-même, de mon existence en tant qu'homme. Ceux qui ont longuement observé les animaux savent bien ce qu'*être intime* avec eux veut dire.

L'amour, c'est ressentir ensemble. La réalité que nous percevons avec nos sensations n'est pas moins valide que celle que nous appréhendons au moyen de notre mental.

Apprendre à aimer signifiera donc que nous travaillerons aussi à affiner nos sensations. Le goût des lèvres de notre partenaire, les odeurs de son sexe, la toucher de sa peau, le goût de sa transpiration, le son de ses cris d'amour, mais aussi les sensations subtiles : percevoir s'il est fatigué; s'il retient une émotion; s'il veut être seul; si, au contraire, il veut être câliné et n'ose se l'avouer, étant en colère.

C'est cette attention de la pensée intuitive, cette sensibilité qui est le véritable aliment de l'amour dans le couple, car elle seule permet une véritable connaissance de l'Autre. Comme toute qualité, elle se travaille, se développe. Les techniques tantriques peuvent beaucoup dans ce domaine, mais seule la disparition du refoulement primordial permettra à votre sensibilité de s'exprimer pleinement.

Terminons-en avec mes crabes. Je peux les connaître comme un scientifique, les connaître en tant qu'objets. Mais alors, pour les «connaître», je dois les détruire. C'est une connaissance mécanique.

Je peux aussi essayer de connaître leur être, ce qu'ils sont, comment ils perçoivent le monde, en les aimant. En partageant le plus possible de leur réalité, en les observant vivre, en n'ayant pas peur d'eux et, surtout, en leur laissant leur liberté de crabes, leur «être» de crabe. En les laissant être eux-mêmes, intacts, vivants.

Nous avons tous le choix : «aimer» avec le mental et nier l'être de l'Autre ou bien aimer avec le cœur et respecter l'être de l'Autre, le laisser vivre.

Amour et gratitude

J'ai connu en Ouganda, au Sri Lanka, au Népal, au Tibet, des peuples qui vivaient en profonde communion avec la nature. Ils chassaient pour se nourrir et avaient développé une véritable affinité avec leur gibier, au point de partager sa réalité, de le comprendre.

Mais ils ressentaient également autre chose : une profonde *gratitude*. Tous, qu'ils soient Africains ou Asiatiques, Noirs ou Jaunes, chaque fois qu'ils abattaient un animal, exprimaient une immense gratitude envers la nature et, sincèrement, accomplissaient un acte d'amour envers cet animal. Ils lui mettaient quelque chose de bon dans la bouche, prononçaient quelques paroles de remerciements, lui souhaitaient une bonne réincarnation. Ce n'était nullement la «peur des esprits» ou l'espoir d'une chasse meilleure qui les poussaient à agir ainsi. Ce sont là des interprétations d'hommes blancs angoissés et matérialistes. Non, ils agissaient ainsi par *gratitude*.

Ces gens-là étaient, en général, heureux. Leur vie était rude, mais ils n'étaient point frustrés d'amour. En fait, ils baignaient dedans. Les mères et les femmes de ces chasseurs étaient de vraies femmes et de vraies mères, emplies du caractère sacré de leur rôle de femme et de mère. Leurs besoins vitaux une fois assurés, ce qui, sous les tropiques, est chose relativement aisée, la plénitude de ces chasseurs était étonnante, car ils souffraient peu ou pas du manque primordial d'amour. Aussi étaient-ils fort peu violents, infiniment moins que les Occidentaux. Ils débordaient de gratitude, car ils étaient en mesure d'apprécier pleinement ce que la vie leur offrait, même si cela était modeste. La gratitude envers la vie m'apparut alors comme la manifestation du sentiment d'amour et de plénitude.

C'est cela que je ressens parfois, alors que je me sens disparaître, «dilué» dans le merveilleux spectacle de la nature. Un immense «merci»! *Merci à la vie pour l'amour qu'elle me donne.*

La frustration, le manque d'amour nous éloignent de la gratitude parce que nous ne pouvons éprouver le sentiment d'être comblé, la sensation de la satiété, ce que les Indiens appellent *ananda*, une sensation d'amour absolu, serein et joyeux : la sérénité. C'est également ce que les Occidentaux nomment béatitude, mais en dénaturant ce mot par une connotation légèrement péjorative. «Il est béat» signifie implicitement «il est idiot».

Le fait d'assimiler la béatitude à une déficience du mental est une pensée assez logique, puisque ce qui nous contraint à ne vivre que par le mental, c'est le refoulement, la souffrance, la frustration.

Notre culture est cartésienne et ne connaît la sensation d'exister qu'au travers du mental, donc d'une certaine souffrance sous-jacente. La béatitude qui élimine toute notion de souffrance ne peut donc signifier pour un cartésien que la disparition de la pensée logique, du mental. Pour celui qui fait dépendre la conscience de soi du seul mental («je pense, donc je suis»), l'état de béatitude ne peut que signifier la perte de cette conscience de soi.

Pour lui, connaître la béatitude, c'est être idiot! Un «ravi», un «benêt», un «imbécile heureux». Voyez comme la pensée logique repose sur le refoulement. «Je ne peux me sentir exister que si je suis malheureux»! Voyez la perfidie, la subtilité du piège!

Eh bien, si le piège est de rester enfermé dans le mental, sortir du piège consistera à se libérer du mental, à accéder à l'autre dimension de la conscience de soi : *la sensation, le sentiment, l'intelligence du cœur*. La conscience de soi, en effet, ne dépend pas du seul mental. Elle exige également la sensation et le sentiment.

Mais qu'est-ce qui nous exile de notre sensibilité? Le refoulement de la peur/haine, la sensation du manque d'amour! Décidément, on en revient toujours là : le manque primordial dû à la mère ou à la personne qui en a tenu lieu...

Seule l'alliance de la pensée (la représentation du réel) et du sentiment (la perception du réel par les sensations) nous permettra de nous sentir véritablement exister. Le refoulement, en interdisant une totale perception de nos sensations, prive notre pensée de son assise sur le réel, de la perception de soi, de la conscience : de l'amour.

La seule façon d'arriver à «aimer et se laisser aimer» n'est pas de trouver le partenaire idéal, mais d'être conscients de nos sensations. C'est-à-dire de nous libérer du refoulement qui fonde l'inconscient. Alors nous accéderons à l'amour et ressentirons profondément le sentiment de gratitude. Merci à la vie, OUI à ce qui est, OUI à ce que je suis, OUI à l'Autre, tel qu'il est.

Être aimant, c'est *générer en soi et attirer à soi* le bonheur et l'amour des autres. Comme le dit la Bible : «À tout être humain qui possède, on donnera. À celui qui ne possède rien, on enlèvera le peu qu'il détient.» Cruel, non?

Afin de connaître l'amour en abondance, la seule voie est de détenir déjà un peu d'amour, même un tout petit peu. Et nous avons vu que l'amour est une action consciente, une décision. Dire OUI à la vie, OUI à ce qui est, à chaque instant, à chaque minute. Simplement OUI, avec gratitude.

Cela, chacun peut le faire. Ne serait-ce qu'un petit peu, pour commencer. À celui qui connaît ainsi l'amour, il sera donné de l'amour en abondance.

Troisième partie

LA COMMUNICATION

Chapitre IX
Amour et communication

L'observation de la nature ou plutôt l'état de communion avec elle, la sensation de l'amour qu'elle incarne me fournissent toutes les informations dont j'ai besoin pour ma progression spirituelle et, au passage, pour écrire ce livre.

C'est un renard blanc, un renard polaire qui fut mon «gourou» en matière de communication. J'habitais à l'époque une cabane de rondins située sur une plage de la mer de Barents, dans l'océan Glacial Arctique, l'archipel de Svalbard, l'île du Spitsberg située à mi-chemin entre la Sibérie et le pôle Nord.

Un jeune renard polaire vint un jour me voir. Étonné. J'étais le premier être humain qu'il voyait puisqu'il n'y en avait pas d'autre sur plusieurs centaines de kilomètres de côtes. Il s'assit sur une plaque de mousse (c'était l'été) et pencha la tête de côté. Je penchai la tête du même côté, moi aussi. Il redressa la sienne, poussa un jappement heureux et répéta son geste. Je fis de même.

Au fil des jours, nous avons bâti un vocabulaire gestuel commun : nous communiquions. Je ne tentais pas d'utiliser notre conversation pour tirer quelque chose de lui, mais seulement pour nous permettre d'exprimer notre confiance mutuelle.

Un geste pour «jouons», un autre pour «approche». Il m'apprit «j'ai peur»; «n'approche pas plus»; «reste immobile».

Au bout d'une semaine, il venait lécher du beurre posé sur le bout de mon nez. Qui a vu à quel point sont acérées les dents d'un renard mesure la confiance que j'avais en lui. Il aurait pu m'arracher le nez en une fraction de seconde. Et moi, j'aurais pu l'abattre d'un coup de carabine. Notre confiance était donc totale. Nous nous aimions.

C'est la communication qui nous avait permis de construire peu à peu cet amour en passant par une connaissance réciproque, le profond respect que j'éprouvais pour lui, la gratitude qui envahissait mon cœur chaque fois qu'il venait me voir.

Je le respectais. Je l'aimais tel qu'il était. Je n'essayais pas de l'apprivoiser, de me l'approprier. Ainsi, je ne l'ai jamais tenu dans mes bras; je respectais son comportement de renard qui supporte mal cet enfermement. Je le laissais libre de venir m'aimer ou pas. Je ne l'appâtais jamais. Parfois, il trouvait quelque chose à manger chez moi. Parfois non. Il ne s'agissait nullement de le dresser ou de l'éduquer. Notre relation n'était en rien une relation marchande.

Un jour, il vint à moi avec un fulmar qu'il venait d'attraper dans la gueule. L'oiseau était encore vivant. Mon premier mouvement fut, par sensiblerie, de libérer cet oiseau. Mais je décidai de respecter totalement l'être de mon ami. Un renard est fait pour dévorer les fulmars. C'est sa place dans la vie, c'est là son être. Aussi je le vis déchiqueter avec un grand entrain l'oiseau encore vivant. Et je pus dire OUI aussi à cela.

Un jour, le renard ne vint plus. C'était le début de l'hiver et sans doute avait-il changé de territoire de chasse avec le départ des oiseaux.

Nous avons bâti cette amitié avec une poignée de «gestes symboliques». L'être humain, qui dispose de plusieurs milliers de mots, pourrait facilement construire des relations d'amour. S'il n'y parvient pas, c'est peut-être parce qu'il ne communique pas vraiment?

Souvent, j'écoute les conversations dans les réceptions mondaines. Il s'y échange des mots, beaucoup de mots. Derrière ces mots, je découvre des stratégies, des non-dits, des sous-entendus. Je perçois des messages : «Je suis un homme important.»; «Je connais des personnes célèbres.»; «Je cherche à être reconnu.»; «Personne ne m'aime.»; «Je vous désire.»; «Je gagne beaucoup d'argent.»; «Je vous méprise.»; «Je vous hais.»; «Vous êtes quelqu'un sans importance.»; «J'ai peur.».

Cependant, les mots qui sont prononcés n'ont aucun rapport avec la réalité de ce qui s'exprime inconsciemment. La communication, ce n'est pas cela.

Communiquer, c'est faire consciemment parvenir dans l'univers mental de l'Autre une image que l'on a bâtie dans son propre univers, sa propre réalité. On peut communiquer une émotion, une joie, une peur, une idée, un concept, la description d'un objet, d'un sentiment. Il suffit :

- de *ressentir* ce que l'on veut communiquer,

- d'en *bâtir* une image mentale,

- de la *véhiculer* jusque dans le mental de l'Autre au moyen de mots, d'attitudes.

En matière de relation amoureuse, on communique à partir de son cœur, de son *centre*, de son être. Si le refoulement nous coupe de notre ressenti, de notre cœur, de notre être, il ne pourra y avoir de véritable communication.

Tous les problèmes de couple s'expriment d'abord par des problèmes de communication qui trouvent leur origine première dans l'incapacité des partenaires à *ressentir* véritablement ce qu'ils éprouvent, ce dont ils ont besoin. Ils «communiquent», c'est-à-dire émettent des mots, des vocables, des rationalisations (ou des ratiocinations!), mais le message ne passe pas. Ils expédient des «signifiants» sans «signifié conscient», pour parler le jargon de l'épistémologie.

Le deuxième obstacle à la communication est constitué par l'incapacité des partenaires à percevoir la *réalité* de l'Autre.

Il y a quelques jours, je tentais d'expliquer le système du marché boursier des valeurs à terme à un pêcheur de l'océan Indien. Il ne pouvait me comprendre; cet univers n'était pas réel pour lui. Pourtant, il parlait fort bien l'anglais. Tout aussi bien que moi. Ce n'était donc pas un problème de langage.

De la même façon, deux amants qui ne partagent pas suffisamment le même univers mental ne peuvent véritablement communiquer. C'est pourquoi la connaissance sensible de l'Autre est fondamentale. Trop souvent les amants ne perçoivent pas à quel point leurs mondes intérieurs sont fondamentalement divergents. Ils se fantasment *identiques,* alors qu'ils sont tellement différents. C'est même là ce qui pourrait faire la richesse de leur couple! Mais ils vivent dans les illusions de l'amour symbiotique, l'amour du fœtus qui est tellement identique à maman.

Monsieur dit «Je t'aime», Madame comprend «Je te resterai fidèle à jamais et te ferai trois enfants», alors que le véritable message de Monsieur était : «J'éprouve une envie folle de te caresser les seins.» Des deux côtés, il y a recherche de fusion. Mais pas dans le même univers. Pas de la «même façon». Ils ne partagent pas la même réalité.

Un autre obstacle est, lui, plus technique : les amants n'acceptent pas de *recevoir* la communication et ne respectent pas la liberté d'expression de l'Autre, son temps de parole.

Si vous désirez écouter les informations à la radio, vous «ouvrez» le poste; vous connectez la source d'énergie (l'électricité) avec les «neurones» (l'électronique). Alors votre radio reçoit les émissions.

Bien. Le cycle est en place. Nous avons un *émetteur* qui produit des ondes (des «objets» énergétiques) porteuses d'un *message.* Et un récepteur qui est *actif* (il consomme de l'énergie) afin de *recevoir.*

Remarquez que la réception n'est pas une passivité; elle est *active*; elle nécessite de l'énergie et de l'attention.

Lors de certaines expéditions polaires, j'utilise un poste émetteur-récepteur. Le cycle devient :

• émission;

• réception du message par mon correspondant;

• compréhension du message par lui;

• accusé de réception du message («bien reçu, bien reçu»);

• émission de la réponse;

• réception par moi;

• accusé de réception par moi.

Afin d'obtenir l'autorisation d'utiliser ce genre de poste, on doit apprendre un code de bonne conduite : celui du «bon communicant». Quel dommage qu'un tel apprentissage ne soit pas systématique dans les familles et les écoles! En voici les règles de base.

Pour *recevoir* :

• ouvrir son poste ;

• le régler sur la bonne fréquence (le «synthoniser»);

• laisser parler le correspondant jusqu'à la fin du message;

• lui faire savoir que son message a été reçu.

Pour émettre :

• ouvrir son poste;

• le régler sur la bonne fréquence;

• parler d'une façon intelligible pour l'interlocuteur;

• lui faire savoir que le message est terminé.

Ces règles qui paraissent évidentes en matière de communication radio ne sont pourtant pas respectées dans la communication du couple.

Pour recevoir les communications de l'Autre, il est nécessaire de :

1° *Ouvrir son poste*
Ouvrir son récepteur, c'est :

a) *s'ouvrir à l'univers de l'Autre*. Pour cela, il convient d'être attentif, présent et intéressé par l'Autre. Cela n'est possible que dans la mesure où l'on n'est pas soi-même enfermé dans son propre monde intérieur. Les personnes que l'on dit «égocentriques» ne peuvent s'ouvrir à l'Autre. Puisqu'elles sont immergées dans leur univers de souffrance au point de ne plus percevoir d'autres réalités, elles ne peuvent s'ouvrir à ce qu'elles ignorent exister.

b) *être réceptif*. Être réceptif, c'est *être là*, «ici et maintenant» et non pas quelque part dans le passé ou ailleurs, dans l'effort du refoulement. Vient s'y rajouter une exigence supplémentaire : il nous faut *être sensible*. Conserver suffisamment de liberté intérieure pour *jouir de ses sens*, être libéré du plus gros du refoulement (cela qui nous coupe de nos sensations). Soit parce que l'on a bénéficié de parents eux-mêmes équilibrés, soit que l'on a travaillé sur soi au moyen d'une psychothérapie ou d'une voie spirituelle.

c) *brancher l'énergie*. Les sensations que nous recevons sont des énergies subtiles. Pour les percevoir puis les gérer, il nous faut également disposer d'énergie. Une personne épuisée ne peut plus véritablement communiquer. Là encore, le refoulement qui bloque les flux énergétiques et provoque l'épuisement (au point d'être la cause première de la plupart des maladies), interdit la communication.

Nous voyons à quel point la qualité de notre communication est dépendante de notre état d'être. Cependant, nous savons qu'aimer est une action consciente. Nous savons, d'autre part, que prendre la décision de se sentir aimant va nous attirer l'amour des autres. Prenons donc la décision consciente d'être attentif à bien communiquer. C'est là un tout petit début d'amour. Mais c'est la première marche d'un escalier qui mène au bonheur suprême!

Vous voulez aimer? Voici la première étape : *Soyez présent et attentif quand vous communiquez. Sentez ce que votre partenaire vous dit.*

2° *Régler son poste sur la bonne fréquence*

Avez-vous déjà assisté à un dialogue de sourds? La communication de deux personnes qui parlent de deux points de vue, deux univers mentaux totalement différents. Nous avons déjà abordé ce point. La solution consiste à accepter de connaître véritablement l'Autre. Non : de le connaître d'une façon théorique, métaphysique. Non : le connaître là, tout de suite, alors qu'il sort de la salle de bain, furieux, en hurlant : «Où est encore passé le peigne!» (Le peigne, c'est lui qui vient de l'égarer.)

Ce qu'il exprime là, c'est : «Je suis angoissé par mon rendez-vous de ce matin avec mon client le plus important qui veut annuler son contrat.»

Alors vous voulez être aimante? Prenez une large respiration et :

a) *ouvrez-vous à son univers*. La panique, pour l'instant.

b) *soyez réceptive*. Sentez à quel point son agressivité vous touche, restimulant en vous de vieilles peurs. En en ayant conscience, vous pouvez gérer cet état. Il vous reste suffisamment de capacité d'attention pour comprendre le véritable message de votre mari ou amant qui est, en l'occurrence, «Au secours, maman, bobo, rassure-moi!»

c) *branchez l'énergie*. Vous commencez sans doute à comprendre pourquoi elle est si nécessaire, non? Dans le cas contraire, seule l'expérience vous le démontrera.

3° *Laisser parler le correspondant*

Rappelez-vous que l'amour est une *action consciente*. Pas une réaction inconsciente. Aussi, ne vous laissez pas emporter par la restimulation de votre propre névrose. Choisissez (action consciente) de ne pas couper la parole à votre adoré. De ne pas réagir. Ce qui évitera une décharge énergétique négative inutile. Votre énergie, stimulée par l'agression que vous venez de connaître, sera consciemment utilisée afin de poursuivre un cycle de communication fructueux, c'est-à-dire aimant.

4° *Lui faire savoir que le message a été reçu*

«Oh! tu ne trouves pas ton peigne!» Inutile de voler à son secours. Cela n'était ni la teneur de son message ni sa demande consciente. Ne vous mêlez pas de l'inconscient de votre partenaire ou il vous en cuira! *Laissez-le libre*, même dans sa névrose. Ensuite prenez la parole.

a) *Ouvrez*. Faites savoir que vous désirez parler.

b) *Réglez*. Choisissez la bonne fréquence. Si votre interlocuteur est dans la confusion, mettez de l'ordre. Montrez-vous «ordonnée», pleine de décision. Par exemple, conseillez-le : «Regarde par terre.» Peu importe l'endroit indiqué. S'il a perdu un objet, il devra bien le chercher et la meilleure aide que vous puissiez lui apporter, c'est de lui suggérer de commencer cette recherche!

Ce n'est là qu'un exemple. L'important est de percevoir l'état émotionnel de votre interlocuteur grâce à votre ouverture et votre réceptivité, puis de se régler dessus en toute conscience. Réagir de façon inconsciente, au contraire, reviendrait à lui couper la parole par un «C'est toujours la même chose avec toi, tu perds toujours tout!» peu efficace en matière de communication et d'amour.

c) *Parlez d'une façon intelligible pour l'interlocuteur.* Je m'occupe parfois de communication en entreprise. Certaines sociétés veulent exprimer leur «être», leur savoir-faire, leurs compétences. Il est tout à fait positif de vouloir contribuer, en apportant ce que l'on sait faire, à la croissance de la société dans laquelle on vit. Et de le faire savoir.

Cependant, quand ces sociétés publient une plaquette d'information à l'usage de leurs clients ou du grand public, elles oublient souvent d'adopter le point de vue de leur interlocuteur et utilisent un langage qui appartient à leur propre monde et non au monde de leurs clients. De gros progrès ont été faits en ce sens, mais encore trop souvent le choix d'un vocabulaire peu adapté ne permet pas à celui qui lit ce document d'adhérer spontanément au message, même si celui-ci est rédigé dans une langue techniquement irréprochable.

Un jour, je lisais les documents qu'un nouveau mouvement religieux (une «secte») adressait à des parlementaires, afin de leur démontrer que les actions du gouvernement à son encontre étaient injustes.

Je fus surpris de m'apercevoir que dès le premier paragraphe, les parlementaires en question rejetteraient cette communication. Le papier était superbe, la typographie et la maquette esthétiques, le style excellent. Qu'est-ce qui n'allait pas? Eh bien, tout le reste. Dès la première phrase, un sous-entendu antigouvernemental hérisserait le poil du parlementaire le plus progressiste; un vocabulaire tiré de l'américain gênerait celui qui lutte pour la pureté de la langue française; une argumentation basée sur la législation américaine irriterait le nationaliste (sans parler de «l'anti-impérialiste»).

Chaque page contenait un message *implicite* inacceptable pour l'interlocuteur. Et c'était là pure maladresse. Aucun de ces messages inconscients ne servait l'argumentation qui était tout à fait crédible.

Tout le problème venait du «ton» du message, inacceptable par l'interlocuteur. Donc, *inintelligible*. Rappelez-vous, *interlegere* signifie relier des éléments nouveaux à ceux que l'on connaît déjà. Si vous proposez dans votre message un certain nombre d'éléments que votre interlocuteur rejette, parce qu'inacceptables pour lui, il refusera de comparer vos arguments à ceux contenus dans son univers mental. Vous le *condamnez* à rejeter l'ensemble du message et ce d'une façon inconsciente, quelle que soit la validité de ce que vous exprimez!

En effet, il ne pourra adhérer à votre message qu'en reliant les éléments que vous lui présentez à ses propres critères de jugement. S'il rejette certains éléments inconscients, ce rejet sera beaucoup plus puissant que son éventuelle adhésion consciente. L'inconscient est toujours plus puissant que la raison logique. Faute d'une affinité suffisante avec vous, votre interlocuteur refusera de communiquer.

Être intelligible, c'est fournir une communication dont chacun des termes est *acceptable* par votre interlocuteur. Cela va au-delà d'un vocabulaire élégant ou d'une syntaxe correcte. Votre communication est le reflet de votre univers intérieur. Si elle comporte des termes inacceptables, votre interlocuteur rejettera (consciemment ou inconsciemment) votre univers intérieur avant même de percevoir votre message!

Nous retrouvons là nos prémisses. Pour communiquer véritablement, ce qui constitue un acte d'amour, il nous faudra connaître l'Autre et respecter son univers intérieur, sa réalité. C'est cela l'intelligence du cœur, la sensibilité.

Pour revenir à notre exemple du mari affolé, si vous savez que, pour lui, il est inimaginable de se servir de vos affaires de toilette, ne lui proposez pas «Utilise donc ma brosse!» Cela ne pourrait qu'accroître sa confusion; cette proposition *n'est pas réelle* pour lui et a toutes les chances de l'exaspérer. C'est peut-être absurde, mais l'inconscient est ainsi fait! Il est par définition «ab-surde».

d) *Faites-lui savoir que le message est terminé.* Par un mouvement, une attitude, un regard ou un «squaw amoureuse a parlé». C'est tout simplement lui redonner la liberté de parler!

Si vous demandez à votre interlocuteur de respecter votre temps de parole, vous devez lui rendre sa liberté dès que vous avez fini de parler. Toute omission de ce faire sera perçue inconsciemment comme une brimade et renverra votre interlocuteur à l'âge où «on ne répond pas aux adultes». Il risque de devenir capricieux et insupportable!

Cette «hygiène de la communication» me rappelle les réunions des Dogons sous l'arbre à palabres du village. S'ils veulent régler un différend, ils se réunissent, chacun parle à son tour, nul ne coupe la parole et *tous*, à la fin de chaque tour de parole, émettent un son, quelque chose comme «Ouhn, ouhn!» qui signifie que le message a été reçu par l'assemblée. Mais cela ne signifie pas qu'il ait été accepté ou rejeté; non, seulement *reçu*.

Chaque orateur en tire, avant même que l'arbitrage ait été rendu, une grande satisfaction. Il s'est exprimé, il a été entendu, il se sent respecté, il *existe* aux yeux du village et à ses propres yeux. C'est fondamental. Nous avons déjà entraperçu un tel rituel de communication avec le «calumet de la paix» du chapitre précédent.

Si l'amour, c'est communiquer avec l'Autre, alors prenez la décision d'adopter le «rituel du poste émetteur-récepteur» :

• ouvrez;

• synthonisez;

• laissez parler;

• accusez réception;

• parlez de façon intelligible et acceptable pour l'Autre;

• rendez la parole.

Vous pourrez alors allumer le calumet de la paix.

Chapitre X
La communication
du cœur

Nous venons de mettre en place le b-a-ba de la communication. Mais, ce faisant, nous avons seulement reconnu la nature physique, mécanique de nos échanges verbaux. Ils sont porteurs d'un sens, des transmissions d'énergies (les sons). Il doit y avoir deux pôles de transmission, alternativement émetteur puis récepteur. Quoi de plus banal, primaire?

Nous pouvons maintenant nous occuper du *contenu*, du Sens de nos communications, puisque désormais nous savons *comment* communiquer.

Quel est le but de la communication?

Si la communication est un échange d'énergie et de Sens; si la vie est un flux d'énergies porteuses de sens, la communication sera au cœur du phénomène de la vie; elle servira à promouvoir la vie.

Le but de la communication est d'échanger du Sens, des informations afin d'*accroître le flux vital* entre deux personnes. Si nous communiquons, c'est pour vivre. Communiquer au sein du couple permet de vivre à deux, car c'est la seule façon de faire savoir à l'Autre ce dont nous avons besoin pour vivre.

Nous tirons de cette chaîne d'évidences une définition précise de la communication. *Exprimer d'une façon compréhensible par l'Autre quels sont nos besoins et comprendre clairement quels sont les besoins de l'Autre.*

Ainsi, *et ainsi seulement*, la vie s'établira au sein du couple. La relation sera *vivante*, car la vie, nous venons de le rappeler, est un *échange de flux*.

Afin que nous puissions donner à l'Autre ce dont il a besoin, il est nécessaire qu'il nous ait préalablement fait savoir, d'une façon compréhensible par nous, ce qu'il attendait.

Afin que nous puissions recevoir de l'Autre ce dont nous avons besoin, il est nécessaire que nous lui ayons préalablement fait savoir, d'une façon compréhensible par lui, ce que nous en attendions.

Toute la règle de survie d'une relation est contenue dans ces deux évidences-là. La relation de couple, comme toute entité vivante, consiste en un *échange de flux* et il n'y a échange que si ce qui est proposé est demandé par l'Autre. Offrez un radiateur à un Tahitien, il n'en voudra probablement pas. Ce qu'il veut, c'est un réfrigérateur!

Nous avons vu tout au long de ce livre que le refoulement de la peur/haine primordiale nous empêche de percevoir clairement ce que nous voulons profondément, et donc de l'exprimer.

Le couple est le lieu où les partenaires s'efforcent de donner à l'Autre ce dont il ne veut pas, car ils ne connaissent pas ce que leur partenaire désire véritablement et reçoivent de lui ce dont ils ne veulent pas faute d'avoir jamais indiqué leur besoin réel. Et tous deux protestent, car ils se sentent frustrés de ne pas recevoir ce qu'ils ignorent désirer!

J'ai eu l'occasion de faire des affaires en Union soviétique au début de la *perestroïka* (j'achetais un bateau à passagers) et assistais, éberlué, au commerce à la soviétique. Ainsi, un directeur d'usine se plaignait de recevoir des plaques d'aciers spéciaux, d'une irréprochable qualité, certes, mais qu'il ne pouvait utiliser, faute d'un équipement adéquat. Les stocks de cet acier rouillaient sur un terrain vague, mais l'usine productrice s'obstinait (mystère de la bureaucratie) à lui envoyer cet inutile métal.

De même, j'ai pu voir d'innombrables couples où l'un des partenaires persistait à vouloir donner à l'Autre ce dont il ne voulait pas. C'est que bien souvent, on donne à l'Autre ce que nous-mêmes aimerions recevoir, ce dont nous manquons.

Dans mon propre couple, ma femme me donnait à profusion ce dont elle-même manquait : de la sécurité affective. Elle se conduisait selon un modèle visant à combler ses propres manques. Le fait de s'occuper de moi avec attention et tendresse, d'être attentive à mon confort, de me faire des petits cadeaux démontrant qu'elle pensait à moi en permanence, constituait pour elle une source de satisfaction. Elle projetait son manque dans la relation et attendait que je réponde par une attitude identique.

Cette attitude m'était, à moi, très douloureuse. Mon problème, à l'époque, c'était la peur de l'enfermement. Autant dire que chacune de ces attentions resserrait un peu plus le garrot que je sentais autour de ma gorge. Jusqu'à ce que je finisse par fuir tant d'amour.

Il me semble que cet exemple est très représentatif. La femme «donne» de la sécurité affective à un mari qui demande tout à fait autre chose et surtout pas ça! En fait, elle donne pour recevoir ce dont elle manque. Nous pouvons donc préciser notre définition du couple classique. *«Le couple est le lieu où le partenaire donne ce dont lui-même manque à un conjoint qui n'en veut pas!»*

Si le couple est effectivement un lieu d'échange d'énergies (non pas d'échanges commerciaux mais d'irrigation vitale), il est fondamental que soit précisée la nature de ce que chacun demande.

La «communication vitale» consistera donc à :

• Exprimer ce que l'on ressent, ici et maintenant.

• Exprimer ce dont on ressent le besoin, ici et maintenant.

• Exprimer la façon dont ce besoin pourrait être rempli.

Par exemple :

• «Je me sens un peu perdue ce soir.»

• «J'ai besoin de tendresse.»

• «J'aimerais que l'on se retrouve quelques instants à prendre un verre et bavarder sur le canapé.»

Autre exemple :

• «L'appartement est en désordre aujourd'hui.»

• «Ce désordre me met mal à l'aise. J'ai besoin que tout soit net autour de moi pour me sentir bien.»

• «J'aimerais que tu ranges tes affaires.»

Cette forme de communication permet un véritable échange. L'interlocuteur a reçu toutes les informations qui lui sont nécessaires :

• un état de la situation objective ou subjective;

• une information sur l'univers intérieur du partenaire et ce dont celui-ci a besoin;

• la façon dont le partenaire demande à ce que ce besoin soit comblé.

Faute de disposer de ces informations, le partenaire ne pourra jamais satisfaire le conjoint. De même, lors de mes expéditions sur la banquise, il m'arrivait d'envoyer le message suivant :

• «Sommes 81° 20' 05" et 17° 02' 53". Avons cassé chenille motoneige n° 3.»

• «Avons besoin pièce de rechange.»

• «Pouvez-vous envoyer l'hélico demain à 12 h?»

Ces informations étaient nécessaires afin que mes correspondants :

• me trouvent;

- ne m'apportent pas une boîte de chocolats à la place de la chenille en me disant, avec leur plus amical sourire : «Nous avons pensé que cela te ferait plaisir.» *Non, ce qui me fait plaisir, c'est ce dont j'ai réellement besoin.*

Exprimer ses propres besoins, d'une façon telle qu'il soit possible pour l'Autre d'y répondre, constitue la clef du bonheur dans le couple. Or nous n'avons jamais appris cette évidence-là. Si l'un de nos besoins n'est pas satisfait, notre première réaction est de déterminer «ce qui ne va pas chez l'autre», sans même songer que peut-être nous n'avons pas clairement exprimé ce besoin.

Il s'agit là d'un automatisme de la pensée, du mental.

Ne vous méprenez pas. Je ne considère pas le mental comme un processus à détruire, non. C'est un outil merveilleux, sa fonction est de nous maintenir en vie et, associé à la perception de nos sensations, de nous sentir exister. Cependant, une grande partie de son fonctionnement est resté de type animal. Son seul souci est de survivre. S'il rencontre un obstacle qui lui semble menacer la survie, il ne peut agir que de deux façons seulement : il agresse ou il fuit.

L'agression ici consiste à *donner tort à l'Autre*. «Si je souffre, si je fais l'expérience néfaste du manque, c'est que l'Autre me fait du mal : il a tort. J'ai raison de ne plus vouloir souffrir du manque d'Amour. Il a tort de ne pas combler ce manque qui m'est douloureux.» Le fait que l'Autre n'a peut-être pas été informé de la situation et de la façon d'y remédier, le fait que ce manque ne puisse être comblé par lui ne rentrent pas en ligne de compte. Le mental dit. «J'ai raison / Il (elle) a tort.» C'est sa façon de fonctionner, son mécanisme, sa logique.

La prouesse de notre culture est d'avoir réussi à jeter sur ce mécanisme comportemental quasi animal les oripeaux de l'intellectualisme, de la bienséance, de la morale, de la religion et... de la psychologie. Le mental aime bien classifier, car c'est la seule chose qu'il sache bien faire : évaluer en fonction de la survie que cela apporte.

Le conjoint rationalisera sa sensation de manque d'une façon :

- moraliste : «Ma femme est futile, mauvaise, méchante...» «Mon mari est paresseux, indigne de son rôle...»

- psychologisante : «Ma femme est atteinte d'un syndrome dépressif.» «Mon mari souffre du complexe de Peter Pan.»

- bien-séante : «Ma femme/mon mari ne se conduit pas comme il/elle le devrait.»

- ou par un jugement : «Il (elle) à tort./J'ai raison.»

Nous voyons là le mode de communication le plus fréquent, celui du mental qui associe un sentiment refoulé» («Je souffre mais refuse de le ressentir clairement.») à un jugement («C'est sa faute.»). Cette attitude est également une attitude de victime («Je suis victime de sa faute.»), d'irresponsabilité («C'est à lui de changer de comportement et non à moi de percevoir la nature exacte de mon sentiment.»). Ces deux attitudes sont destructrices de la liberté de l'être («Mon bonheur dépend de l'Autre, je suis dépendant de l'Autre.») et de l'Autre («L'Autre est le moyen de mon bonheur.»).

Refoulée, jugeant les autres, victime, irresponsable, prisonnière d'elle-même, manipulatrice, voici tracé le portrait de la personne coupée de son cœur, de sa sensibilité et condamnée à ne percevoir la réalité que par le moyen de son mental. Rappelons encore que le seul processus à l'origine de tout cela est le refoulement de la peur/haine.

La communication qui vient du cœur, elle, adopte une tout autre façon de procéder :

- Elle ne subit l'effet d'aucun réflexe du type agression/fuite (haine/peur).

- Elle n'est ni mécanique ni automatique.

- Elle n'est ni prédictible ni reproductible.

- Elle n'est en rien scientifique, systémique.

- Elle ne juge pas, n'évalue pas, ne classe pas, ne compare pas.
- Elle ne se définit pas puisqu'elle échappe au mental.
- Elle est amour. Cela qui *se ressent*, ici et maintenant.

Communiquer avec le cœur, c'est ressentir dans l'instant présent, éviter les comparaisons avec des informations issues du passé.

C'est une langue très simple.

- Non-refoulement : ressentir, exprimer ce que l'on ressent.
- Non-jugement : je parle de moi, et de moi seulement, pas de l'Autre.
- Non-victime : je prends l'entière responsabilité de ce que je ressens, c'est *mon* problème, pas celui de l'Autre.
- Responsable : je ne rejette pas cette responsabilité sur l'Autre.
- Libre : mon bonheur ne dépend pas de l'Autre. C'est moi qui dirige ma propre vie afin de l'atteindre.
- Non-manipulation : je ne me sers pas de l'Autre afin d'atteindre mes buts.

Au lieu d'inhiber le flux vital par le refoulement, les jugements critiques, l'irresponsabilité, la manipulation, la communication consciente le favorise et l'amplifie. C'est là la définition même de l'amour : cela qui favorise la vie. Ce type de communication-incarnation de l'amour équivaut à répandre l'amour autour de soi. *Elle permet de donner à profusion, sans limite.* Favorisant la vie et l'amour, elle apporte l'abondance, la joie de créer, la coopération de tous dans le respect et la satisfaction.

«Demandez et il vous sera donné», dit la Bible, c'est aussi simple que cela. La clef est de *ressentir* véritablement ses émotions et de les exprimer dans leur vérité sans tenter de s'en servir comme d'un chantage culpabilisateur, «Regardez comme je souffre.», qui constituerait une manipulation, un total manque de reconnaissance de sa propre responsabilité, un profond mépris de l'Autre, utilisé tel un objet destiné au soulagement, comme peut l'être un cachet d'aspirine.

Au contraire, une communication dénuée de toute tentative de manipulation éveillera chez l'interlocuteur le sentiment d'être respecté au sein d'une relation basée sur la sincérité, le motivera à coopérer, à créer de la vie au lieu de déclencher chez lui une obéissance forcée ou une résistance due à la culpabilité et au refoulement de sa colère.

J'ai une fois travaillé avec une jeune femme très en colère contre les hommes. Elle était d'une rare beauté, très féminine, un corps parfait. Son couple se portait mal. Elle reprochait à son ami en particulier et aux hommes en général de «manquer de verticalité», de ne «plus savoir être des hommes». «J'en ai marre qu'ils ne voient en moi que mon cul et mes seins.» Elle rêvait d'un homme qui partagerait avec elle la dimension spirituelle qu'elle ressentait très fortement.

Je lui posai alors cette question, qui me paraissait évidente : «Que devrait faire ton ami afin de partager avec toi cette aspiration au Divin?» Elle ne savait que répondre : «Qu'il cesse de ne s'intéresser qu'à mon corps! Qu'il me voie telle que je suis, avec mes imperfections, etc.» Ce n'était pas là une demande bien précise. Si son ami «cessait de...», en quoi en serait-elle satisfaite? Quel besoin serait comblé? Celui de ne pas être perçue en tant que femme belle seulement? Soit. Mais encore? Quel était le ressenti là derrière?

Me vint alors à l'esprit une autre question : «Peux-tu me parler du sentiment que tu éprouves quand il te semble t'établir dans cette dimension de toi-même que tu appelles spirituelle?»

Elle me fit alors une description assez détaillée des techniques de méditation qu'elle pratiquait. Mais il ne s'agissait toujours pas d'une sensation, d'un ressenti!

Tout à coup, elle me dit : « Voilà, là, ce que je ressens maintenant. » Sa respiration s'était faite plus lente, son corps s'était établi dans une attitude souple, aisée, posée, sans tension aucune et son regard avait la profondeur de ceux qui ont atteint l'état méditatif.

Elle venait de ressentir, pour la première fois avec précision, quel était son manque. Elle voulait que son partenaire partage avec elle cette expérience-là et que tous deux s'aident mutuellement à s'établir dans cet état de conscience.

Comment cette femme, si sincère dans sa recherche, avait-elle pu jusqu'alors « oublier » d'exposer à son ami que la seule chose qui lui tenait vraiment à cœur était de partager avec lui l'expérience méditative, qui fondait désormais sa vie à elle ?

Tout simplement, elle n'avait jamais pris conscience que sa voie spirituelle était devenue son but vital ; elle ne s'était jamais crue capable d'une telle pureté d'intention. Son ami ne pouvait lui donner ce qu'elle ne lui avait jamais demandé !

Il se trouvait que lui aussi était engagé dans une voie spirituelle et pouvait accéder à cette demande, si elle la lui formulait. Nous envisageâmes alors sous quelle forme. Mais cela n'était que les « détails techniques ».

Elle venait de trouver un *but* à son couple ; l'entraide sur une voie spirituelle ; une *réalité* commune, bien précise : la spiritualité fondait leur vie à tous deux ; elle pouvait enfin *communiquer* ce ressenti, cette sensation, cette joie.

Le seul obstacle véritable à l'accomplissement de leur couple avait été ce *refoulement*, ce refus de se croire « suffisamment bien » pour mener une voie spirituelle sincère.

Le fondement de toute communication réussie consiste en une *attention* sur nos valeurs propres, notre but dans la vie, les besoins définis par ces valeurs et ce but. Si nous en avons une claire conscience, une image bien établie, alors nous serons susceptibles de la communiquer et d'obtenir la coopération de l'Autre. *Pour cela, il nous faut tout d'abord accepter de ressentir ce que nous ressentons. De ne plus le refouler.*

Le jugement

Cette femme dont nous venons d'aborder le cas jugeait sévèrement son ami et l'accusait de «manquer de verticalité», de sens du spirituel. En fait, ce qu'elle exprimait par là, c'était sa propre impuissance à reconnaître son aspiration au Divin.

Tout jugement que nous portons sur les autres n'est que l'expression détournée de nos propres incapacités, dont nous nous sentons coupables. Il est l'expression de notre frustration, de notre manque. En général, nos besoins n'ont jamais été clairement perçus ni bien sûr exprimés. Lorsque nous accusons l'Autre de ne pas nous donner ce dont nous avons besoin, nous l'accusons en fait de notre propre incapacité à ressentir avec clarté nos besoins. Nous refusons de porter la responsabilité de notre refoulement.

En effet, si nous acceptions de dire «Je ne puis ressentir et exprimer ce que je veux.» au lieu de «Mon partenaire ne sait pas s'occuper de moi.», il nous faudrait alors aborder le *pourquoi* de cette incapacité et nous serions immanquablement amenés à devoir confronter la grande douleur de notre vie : le manque d'amour. En général, nous fuyons cette prise de conscience, nous interdisant la «communication du cœur», des relations amoureuses harmonieuses, profondes et sincères, le bonheur d'aimer et ultimement, la fusion dans l'Amour, la Conscience, l'Énergie.

Courage et communication

Que se serait-il passé si, au cours de notre conversation, cette femme avait réalisé que seules l'harmonie sexuelle et la profonde jouissance qu'elle expérimentait avec son ami fondaient leur relation? Si son ami avait été incapable de répondre à sa demande d'évolution spirituelle menée en commun?

Elle aurait dû confronter un choix très, très inconfortable : prendre la responsabilité de rompre une relation vieille de plusieurs années et que tous autour d'eux s'accordaient à trouver exemplaire, ou bien se satisfaire de cette relation au prix d'un renoncement à ses valeurs.

Très souvent, nous n'osons pas nous exprimer sincèrement au sein de notre couple, car c'est prendre le risque de nous mettre en face de la vérité.

On nous a appris que «communiquer est dangereux»; le bébé qui communique trop est écarté, voire isolé («couchons-le, nous serons tranquilles...»); l'enfant qui parle trop est giflé; l'étudiant qui pose trop de questions est considéré comme un gêneur.

Communiquer sincèrement, c'est faire preuve de sentiment, d'authenticité, mais surtout de liberté. Or nous avons vu que le conformisme était l'une des voies de substitution qui permettait à notre culture de rendre supportable le manque d'amour. Être soi-même, c'est remettre en cause le conformisme des autres. En général, et bien que cela soit totalement inconscient, ils nous le font payer.

Remettre en question une relation de couple n'est pas toujours très bien vu. C'est en effet remuer la problématique refoulée de bien des couples amis! Le faire pour des raisons «logiques», sexuelles ou matérielles est admis. Mais alors le faire au nom de ses valeurs propres! Peu de gens sont conscients de leurs propres valeurs. En fait, la plupart ont abdiqué toutes valeurs autres que celles de confort, sécurité, reconnaissance sociale et richesse. L'exemple d'une personne risquant sa sécurité affective au nom de ses valeurs les met très mal à l'aise en restimulant la souffrance provoquée par cette abdication.

Communiquer, c'est aussi communiquer avec soi-même et prendre le risque de devoir se dire «Je me suis trompé, j'ai fait fausse route». Or le mental a horreur d'avoir tort. Nous avons vu qu'il assimile le fait d'avoir tort à une action qui va à l'encontre de la survie. Il évite donc à tout prix ce constat d'erreur, préférant de beaucoup rejeter le tort (la mort!) sur les autres.

Voici pourquoi la «communication du cœur», malgré toute notre bonne volonté, n'est jamais facile. Elle nous pousse et pousse l'Autre dans notre *vérité*. Quelle exigence! Il est autrement plus facile de donner tort à l'Autre!

C'est pourquoi il arrive très fréquemment que l'Autre refuse ce type de communication-vérité. Il répondra à la sincérité, qui nous met dans une position de vulnérabilité, par une agressivité redoublée, car, inconsciemment, il sent qu'il peut «donner tort» à bon marché et vaincre.

Il n'a pas décidé, lui, d'abandonner son mental! Que faire alors?

Eh bien, c'est très simple. Il suffit de ne pas se trahir, de rester fidèle à soi-même, à ses valeurs. Si nous avons décidé de nous situer, nous, dans la sincérité et l'amour, nous n'avons pas à abandonner notre position.

Assimiler sincérité et ouverture à de la faiblesse est une croyance. Bien établie dans notre société, certes, mais une croyance malgré tout.

La «communication du cœur» permet d'entendre le message agressif, quelle que soit la forme qu'il prend. Nous pouvons persister à «décoder» même l'agressivité. Nous n'avons pas l'obligation de nous rabaisser au niveau énergétique de notre interlocuteur. Cela aussi est une simple croyance. S'il utilise l'agressivité, le jugement, le mépris, le sarcasme, il nous suffit d'employer le *cycle de communication* de type radio pour échapper à ces tentatives de grossière manipulation. Ainsi, nous ne serons pas contrôlés par lui et accéderons à la *puissance*.

Par exemple, cela peut donner ceci, qui se passe dans un hôpital et qui est une conversation authentique :

- Chef de service :   «Mademoiselle, c'est le foutoir ici, je ne retrouve plus rien.»

- Infirmière :   «Vous ne trouvez plus rien?»

- Chef de service :   «C'est le dictaphone que je cherche. C'est vous qui devez le ranger. Alors, où c'est que vous l'avez mis? Depuis que vous êtes arrivée dans ce service, tout va de travers!»

- Infirmière :   «Vous cherchez le dictaphone? Avez-vous besoin d'aide?»

- Chef de service :   «Où est-ce que vous l'avez mis, bordel!»

- Infirmière :   «Si vous désirez que je vous aide, je suis à votre disposition.»

Malgré la relation hiérarchique très forte (la grossièreté de certains patrons de services hospitaliers est inimaginable!), l'infirmière a maintenu la communication à un niveau rationnel, sans plonger dans la soumission ou la révolte, ainsi que son chef de service tentait de l'y amener. Sa réussite ici a consisté simplement à ne pas se laisser manipuler malgré la faiblesse de sa position, l'incapacité dans laquelle elle est d'argumenter (une infirmière ne discute pas avec un chef de service irascible) et la violence de son interlocuteur.

Peu à peu, celui-ci ne s'y frottera plus. Il sent confusément qu'il vient de rencontrer un échec; il n'a pu manipuler et pousser à bout ou bien soumettre son interlocutrice.

Celle-ci vient de lui démontrer qu'elle a clairement perçu qu'il était plongé dans un état émotionnel perturbé et qu'il ne lui adressait pas la parole d'une façon rationnelle.

Il s'agit là d'un cas limite. L'infirmière n'a aucun pouvoir et ne peut que très difficilement conserver son intégrité. Mais elle y réussit en imposant, malgré toute la grossièreté dont son interlocuteur a fait preuve, une communication rationnelle, qui consiste simplement à faire savoir à l'Autre que l'on perçoit ce qui se passe en lui et quelle est sa demande.

Dans la vie courante, ce genre de situations est assez fréquent; dans la relation de couple, une telle violence ne devrait pas intervenir. Si cela était le cas, demandez-vous en quoi cette relation est justifiée.

La communication du cœur, que l'on pourrait nommer également communication consciente ou vitale, obéit à un très simple processus qui tient en quatre points seulement :

- *Ne jamais reprendre un jugement, une critique, une attaque* et la développer afin de se justifier. Toute communication de ce type est, en fait, une tentative de manipulation. C'est un piège grossier, non pas une véritable intention d'échanger des idées afin de trouver un terrain d'entente, une réalité commune. Ignorez ce type d'«émissions», faites savoir à votre interlocuteur que vous avez reçu sa communication, mais n'en reprenez jamais le contenu s'il est négatif. N'en reprenez que les aspects positifs.

Par exemple : «Je t'ai demandé de venir pour m'aider et voilà que tu m'enfonces encore plus.» Réponse : «Je suis sensible au fait que tu m'aies demandé de venir.» et non «Mais je fais ce que je peux pour t'aider.»

- *Faites savoir à votre interlocuteur les faits concrets que vous considérez.* La situation objective, sans jugement ni critique; ce que vous observez. Par exemple : «Nous avions rendez-vous à 17 h, il est 18 h 30» et non «J'en ai marre, j'attends depuis plus d'une heure!»

- *Dites quelles sont vos sensations, votre ressenti* sans en faire porter la responsabilité à l'Autre, même de façon implicite. Faites la différence entre la sensation que vous ressentez et le reproche envers l'Autre qu'elle déclenche. La sensation que vous ressentez est réelle : exprimez-la. Le reproche, lui, est l'expression de votre névrose : travaillez-la avec votre thérapeute. Une bonne façon de s'en tenir à l'expression des sentiments et non des jugements est de bannir le «tu» au profit du «je».

Par exemple : «J'aurais aimé que tu sois à l'heure.»; «Je suis ennuyé que tu ne m'aies pas prévenu.»; «J'ai besoin que nous nous parlions plus.»; «Lorsque nous faisons l'amour, j'aime quand tu me caresses longuement avant de me pénétrer.» au lieu de «Ça me rend folle que *tu* sois toujours en retard.»; «*Tu* aurais pu me prévenir.»; «*Tu* ne me parles jamais.»; «*Tu* ne t'occupes pas bien de moi quand nous faisons l'amour.»

- *Exprimez clairement vos besoins*, ce qui vient tout naturellement si vous exprimez votre ressenti.

- *Indiquez le moyen de les satisfaire.* Mais en tant que proposition et non pas comme une *exigence*. Il n'est nul besoin de vous montrer coercitif pour obtenir satisfaction.

Par exemple : «Je te propose de consacrer chaque jour dix minutes de notre soirée à nous parler vraiment.» au lieu de «À partir d'aujourd'hui, tu vas écouter ce que j'ai à te dire.» «Je te propose qu'avant de faire l'amour, nous nous massions mutuellement.» au lieu de «J'en ai marre que tu me sautes dessus immédiatement.»

À travers ces quelques petites règles d'hygiène de la communication qui peuvent apparaître comme très primaires et concrètes, nous retrouvons en fait les grands principes de l'amour.

- L'amour est une *action consciente*.

- L'amour, c'est permettre à l'Autre de connaître mon univers intérieur; c'est *m'ouvrir à l'Autre*. Je lui fais part de mes ressentis.

- L'amour, c'est me *donner* (m'ouvrir à l'Autre) sans rien *exiger* en retour.

Lorsque vous vous ouvrez, vous vous révélez dans toute votre vérité; c'est là le véritable *don de soi*. Si vous le faites sans contraindre l'Autre à vous donner quoi que ce soit, même de façon implicite ou détournée, alors vous lui donnez l'occasion d'entrer lui aussi dans cet espace de totale liberté qu'est l'amour. Cela est le plus grand don que vous puissiez lui faire.

• L'amour, c'est *recevoir l'Autre*, ses émotions, ses sentiments, son point de vue, sans les juger, sans les évaluer, sans les repousser ou refuser leur réalité. Vous pouvez être d'accord ou pas (c'est votre réalité), mais vous acceptez totalement d'entendre ce que l'Autre vous communique et vous lui faites savoir que vous avez bien reçu ce qu'il vous a dit.

Peu importe la façon dont réagit l'Autre. C'est de *vous* qu'il s'agit. Vous créez votre état d'être aimant. Ceci est votre liberté, elle ne dépend pas de l'Autre. À lui revient la décision de recevoir ou de repousser votre amour. C'est *sa* liberté. Mais vous, vous serez dans l'amour. Un amour non-dépendant. Un amour inconditionnel. À l'Autre de se chauffer au soleil de votre amour ou de préférer un autre soleil. Vous, par nature, vous irradiez. Si vous communiquez avec le cœur, vous constaterez avec joie que de très nombreuses personnes rechercheront votre présence : vous serez aimant(e).

Communication et dépression

La communication du cœur est un excellent moyen d'aide dans la guérison d'une dépression.

La dépression tient à une *insatisfaction*. Le déprimé se sent en manque. Nous savons qu'il s'agit fondamentalement d'un manque primordial d'amour. Lui ne le sait pas. Si, au moyen d'un effort conscient de communication du cœur, vécu comme un exercice thérapeutique, il en vient à exprimer des bribes de désirs, il va peu à peu exhumer son manque et tenter de le soulager au moyen de diverses demandes. C'est déjà un pas vers le bien-être.

Ensuite, la personne en dépression en viendra à découvrir que ce qui lui manque, c'est d'être aimée. Que là réside sa grande insatisfaction. La communication du cœur avec une autre personne lui montrera que pour obtenir la forme d'amour dont elle a besoin, elle doit d'abord le demander. C'est-à-dire le *ressentir* et peu à peu sortir du refoulement.

C'est là tout le processus thérapeutique! Aider un(e) ami(e) à sortir d'une dépression, finalement, ce n'est rien d'autre que d'être capable de recevoir ce qu'il veut exprimer. Le recevoir inconditionnellement, sans jamais juger. *Et faire savoir que cela a été compris avec exactitude.*

Le processus psychothérapeutique n'est rien d'autre, en dernier ressort, qu'un cycle de communication réussi. Le thérapeute écoute, comprend, accepte sans juger et fait savoir au patient qu'il est là, présent; qu'il écoute; qu'il comprend; qu'il ne juge pas.

Ceci peut paraître une interprétation simpliste, pourtant c'est le point commun à tous les thérapeutes efficaces qu'il m'a été donné de rencontrer.

Dire «Non» avec amour

Et si nous abandonnions notre ancienne conception de l'amour dans le couple, qui consiste à demander à l'Autre de combler des besoins que nous ignorons nous-mêmes? Nous lui préférerions une autre définition : *L'amour, c'est faire connaître à l'Autre ce que l'on ressent et quels sont nos besoins, sans aucune exigence qu'il les satisfasse.*

L'amour consiste alors non à se sentir obligé de faire ce qui a été demandé (et en vouloir à l'Autre de cette contrainte, même tacite), mais à lui faire savoir que sa communication a été reçue, qu'il est reconnu et aimé tel qu'il est, inconditionnellement. Que l'on accepte ou non de satisfaire ces besoins ne conditionne en rien l'amour qu'on lui porte et qu'il nous porte.

Ce serait là la fin d'un mythe : celui de l'amour-sacrifice, qui consiste à s'oublier soi-même afin de satisfaire les besoins de l'Autre. Tout en exigeant de l'Autre qu'il agisse de même! Cette idée de l'amour, très répandue, est empreinte du sado-masochisme chrétien. Le «don de soi» par le sacrifice sur la croix avec des clous dans les mains et les pieds!

Si aimer, c'est se sacrifier pour l'Autre, alors aimer, c'est avoir la relation du supplicié à son bourreau. Quelle relation d'«amour»! Cette idée de l'amour est juste cela : une idée. Néfaste. Destructrice. Inadaptée. Inutile. Changez-en.

Vous pouvez aimer et rester centré sur vos propres besoins, sans les sacrifier afin de répondre aux demandes de l'Autre. Cet amour s'avère, ô! combien porteur de liberté et de bonheur, car il échappe à la *culpabilité* qui imprègne tant nos relations!

Si vous désirez ne pas répondre à une demande et que vous vous en sentez coupable, vous en voudrez à votre partenaire de ce sentiment de culpabilité. Si vous lui donnez ce qu'il vous demande, poussé par la crainte de ressentir de la culpabilité, vous lui en voudrez «de vous faire faire ce que vous ne vouliez pas faire».

Savoir refuser tout en conservant son amour pour l'Autre est l'une des grandes forces qui maintiennent une relation vivante.

Chapitre XI

Les trois piliers de l'amour

Nous avons peu à peu isolé trois facteurs fondamentaux qui déterminent notre capacité à aimer et à nous laisser aimer.

La communication

Nous venons d'examiner longuement comment elle permet de *connaître* l'Autre et de se faire connaître de lui.

La réalité

La réalité de l'Autre, c'est son monde, tel qu'il le voit. Si vous ne communiquez pas votre propre réalité, votre amant(e), votre mari ou votre femme ne vous verra tout simplement pas. Il percevra seulement l'image de vous qu'il a dans sa propre tête. La réalité, ce sont les choses très concrètes de la vie.

Construire un couple, c'est construire une réalité commune, *partager* certains buts poursuivis et atteints en commun tels que construire ensemble une maison, redécorer un appartement, faire le tour du monde en bateau, apprendre ensemble à danser, à jouer d'un instrument, passer son brevet de pilote d'avion ou son «éperon d'argent» en équitation. Rien de tel pour cimenter un couple. L'amour est une *action* et elle est *consciente*. L'amour dans le couple est donc un état qui s'entretient en permanence grâce à une activité menée en commun d'une façon très consciente et très concrète.

Un but commun, cela signifie que vous partagez au moins un *désir* commun, une parcelle de réalité dont vous avez fixé les modalités de réalisation, les *moyens* d'y accéder et la *date* prévue de réalisation. La réalité, c'est très, très concret!

Ainsi, votre réalité commune grandira, de réalisation en réalisation. Votre partenaire deviendra de plus en plus réel(le) à vos yeux, car vous l'aurez vu *incarner* son être dans une réalisation matérielle, sportive ou artistique. Votre couple aussi deviendra plus réel pour vous, puisque vous aurez devant les yeux l'incarnation, le produit, le résultat concret de votre coopération. Rien de tel que de *toucher, écouter, sentir, voir, goûter* les résultats de la coopération établie au sein de votre couple pour *sentir* la réalité de celui-ci. Alors, votre couple sera concret et vivant.

L'affinité

C'est le sentiment d'ouverture, d'affection, d'amour envers l'autre. Aimer son contact. Aimer qu'il vous touche. Aimer le toucher. C'est le désir de proximité qui nous pousse vers les autres. L'intention de partager, de donner, de communiquer. Le désir d'être proche, physiquement, de l'Autre. De le pénétrer et de se laisser pénétrer par lui. Nous verrons dans un autre volume, *Plaisir et jouissance*, que dans l'acte d'amour, l'homme, s'il lâche totalement prise, se laisse lui aussi profondément pénétrer et prendre par la femme.

L'affinité, fondamentalement, est le désir d'union avec tout ce qui n'est pas «moi». Non pas le désir d'union symbiotique, qui n'est qu'une attitude compensatoire, mais ce que les Sages traditionnels appellent l'expansion de la conscience, la dissolution de l'ego. L'accession, en tant qu'être incarné, à l'état d'Amour-Conscience.

L'affinité commence par les actes les plus incarnés. Par exemple, ouvrir ses bras afin que le partenaire vienne s'y blottir. En tant qu'homme ou femme, encore une fois, importe peu.

Plusieurs femmes souffrant d'un très grand manque affectif m'ont pris pour leur mère, jusqu'à me téter la poitrine que j'ai, étant un homme, fort plate!

Quel bonheur que de pouvoir *donner* ainsi et permettre à l'Autre de prendre conscience de son manque, de s'en libérer, de retrouver son être, le bonheur, la liberté! C'est cela l'affinité : accepter une très grande intimité.

Notez que vous ne pourrez accepter une véritable intimité avec l'Autre que si vous connaissez qui il est, s'il est *réel* pour vous, si vous réussissez à *communiquer* avec lui, à échanger vos deux réalités.

La communication sert de modalité d'échange entre vos deux réalités. Sans communication, il n'y a ni affinité (comment désirer se rapprocher de quelqu'un que l'on ne voit pas, n'entend pas, ne connaît pas?) ni réalité (puisqu'on ne le voit ni ne le connaît).

Construire une relation de couple qui soit une relation d'amour est une action consciente.

Vous devez, certes, recouvrer *l'état d'être aimant* en sortant du refoulement. C'est un processus d'évolution psychothérapeutique et/ou spirituelle qui peut s'avérer être long, très long. Mais tout de suite, ici et maintenant, vous pouvez prendre la décision concrète de *construire* votre couple.

En vous initiant et en vous entraînant à :

- la communication du cœur. Établir ou améliorer votre communication;

- bâtir un projet commun et en débuter la réalisation (réalité);

- accepter la proximité physique de l'Autre (affinité), c'est-à-dire réapprendre le plaisir des sens à travers des activités artistiques, des promenades en forêt, la pratique de la danse ou d'un sport, mené en commun et, idéalement, du Tantra.

Toutes ces activités vous remettront en contact physique avec vous-même, mais aussi, dans le cadre de la danse, de la promenade à plusieurs, d'un sport, du Tantra, avec d'autres personnes, d'autres *corps physiques*.

Ces trois actions (affinité, réalité, communication) sont très simples à mettre en œuvre, très concrètes. Elles sont toutes trois porteuses d'amour. Elles sont donc *efficaces*, malgré qu'elles puissent apparaître comme simplistes aux personnes habituées aux grandes complexités de la psychologie occidentale.

Construire l'amour

Si l'Amour (l'Amour archétypal, avec A majuscule) est un état d'être, la relation amoureuse (l'amour avec un petit a) en est l'incarnation. Elle est donc une action. L'*Amour* est essentiel; il appartient au domaine du Sens, au spirituel, à l'absolu. L'amour est incarné et donc relatif, porteur de nos souffrances refoulées.

Nous travaillons à retrouver en nous-même la source inconditionnelle d'Amour. En attendant d'être totalement aimant, nous gérons notre amour, tel qu'il est, tel que nous sommes.

Nous gérons notre relation à partir de :

• la communication;

• la réalité;

• l'affinité.

La communication étant l'élément au sujet duquel nous possédons le plus de créativité, nous nous en servons pour développer une réalité commune («Voici qui je suis, voici quels sont mes buts et mes besoins; dis-moi librement qui tu es, quels sont tes besoins.») qui permettra un accroissement de notre affinité mutuelle. En effet, connaissant bien la réalité de l'Autre, nous n'aurons plus peur de nous laisser aller à une grande proximité, allant jusqu'à la fusion de nos deux corps et de nos deux âmes : l'affinité.

À l'inverse, on perçoit bien intuitivement que quelqu'un qui se trouve chroniquement plongé dans un état de colère refoulée ne peut communiquer véritablement. Peu d'interlocuteurs sont intéressés à l'écouter. Même si l'apparence de sa communication présente beaucoup d'énergie (ses cris, hurlements, éructations), cette énergie n'est qu'un tourbillon inefficace. Son niveau réel de communication est donc très bas. Non seulement il ne communique pas avec les autres, mais sa colère est le signe qu'il existe en lui un conflit refoulé. Il ne communique pas non plus avec lui-même. Il ne se perçoit pas lui-même, il est «absurde», sourd à lui-même.

Son niveau de perception de la réalité est, par conséquent, lui aussi très bas. S'il n'a pas accès à sa propre réalité, il ne pourra a fortiori «voir les choses telles qu'elles sont». La perception exacte de la réalité extérieure présuppose la perception exacte de son monde intérieur. Nos sensations sont les fondements sur lesquels repose la perception, donc l'image mentale que nous avons du monde extérieur, du réel.

La personne «emportée par la colère» n'est plus véritablement présente, elle cherchera à *nier* le réel (c'est le «déni» comme le disent les psychanalystes) et cherchera à *détruire*.

On détruit ce que l'on ne peut posséder, contrôler, avoir, ce qui n'est pas réel pour soi. C'est pourquoi l'«amant» méditerranéen assassine sa maîtresse (ou l'inverse!); c'est pourquoi les jeunes des banlieues détruisent les équipements sociaux à leur disposition. C'est une réaction de «pas de réalité», un sentiment d'impuissance à contrôler, à posséder, à avoir.

Le «pas de réalité» est le sentiment de ne pouvoir rien avoir, que tout «nous est refusé»; il est la sensation d'impuissance à laquelle on répond par la violence. Le «beaucoup de réalité» est le sentiment d'avoir beaucoup de *jouissance*, de puissance et d'amour, de connaître la satiété.

Bien entendu, la personne chroniquement en colère communique peu; elle possède un niveau de réalité très bas, a très peu d'affinité envers ses semblables. Elle apprécie peu l'existence, les autres, son conjoint.

Qu'est-ce qu'être en colère? C'est dire «non», c'est refuser ce qui est, bloquer les flux vitaux en soi. S'opposer à la Vie. Qu'est-ce que l'amour? C'est dire «oui», accepter ce qui est, laisser les flux vitaux circuler en soi. C'est aller dans le sens de la Vie.

L'amour, c'est donc plus de communication, plus de contact avec la réalité et plus d'affinité.

La tendresse et l'affection véritables naissent peu à peu entre deux personnes qui ont appris à se connaître et sont devenues très réelles l'une pour l'autre grâce à la communication.

La communication est l'outil qui nous permettra d'établir une réalité commune avec notre amant(e) ou conjoint(e), ce qui permettra à l'affinité de se développer.

La façon la plus aisée d'établir une relation avec une personne est tout d'abord d'aimer quelque chose en elle, d'être attiré par elle et donc d'*aller vers elle* (début d'affinité), puis de commencer à communiquer avec elle (peu importe le prétexte) afin de construire une *réalité* commune. L'affinité accrue sera le résultat de cette communication, de cette réalité commune que vous aurez construite.

Tout cela est évident. Regardez ce qui se passe au cours d'un cocktail. Vous êtes seul. Vous rencontrez le regard d'une jeune femme (communication). Elle vous plaît, vous vous approchez (affinité). S'il s'agit d'une femme à l'air revêche, hautain ou hostile, vous fuyez (pas d'affinité, pas de communication).

Vous venez à elle, un verre de champagne à la main, et vous saisissez le verre vide qu'elle essaye de poser quelque part. Ainsi, vous avez établi une communication plus intense. À ce moment, la chose la plus idiote que vous puissiez dire est : «Aimez-vous le champagne?» C'est plat, nul, sans esprit, mais vous êtes tellement intimidé que vous n'avez pu trouver autre chose. *Et cela n'a pas d'importance.* Trouvez quelque chose de neutre, d'anodin, qui ne risque pas de gêner votre interlocutrice. L'important est d'établir la *communication*, l'échange d'énergie. Vous êtes seulement en train de vous synthoniser, de chercher la bonne fréquence. Le contact radio n'est pas encore établi. Vous ne connaissez pas encore la réalité de votre partenaire.

Elle vous sourit, ne s'éloigne pas de vous, vous regarde dans les yeux. Communication, communication, communication! Alléluia! L'affinité est montée d'un cran. Vous pouvez alors tenter de trouver une *réalité* commune. Si elle vous répond : «Oui, j'aime bien le champagne», vous pouvez enchaîner par la pire des platitudes, du genre «J'apprécie particulièrement celui-ci». Vous lui *communiquez* votre sensation, un petit morceau de vous, votre *réalité* du moment et vous lui donnez l'opportunité de vous répondre par la plus extrême des banalités : «Je l'aime bien aussi», en rougissant. Ainsi elle partage votre réalité, ici et maintenant. Mais c'est déjà de l'amour, ça! Tout au moins un début de sympathie.

Que s'est-il passé? Mais rien du tout, trois banalités échangées. Cependant, la relation se construit peu à peu grâce à :

• la proximité physique (affinité);

• la parole, le contact visuel, le sourire (communication);

• l'accord sur un point, même tout à fait bénin (réalité).

Le contact étant établi, vous pouvez accroître votre niveau de communication, qui vous permettra d'augmenter votre réalité, ce qui vous conduira tout droit à l'affinité.

Je vous suggère, pour rester dans l'indigence la plus extrême :

• de lui prendre le verre qu'elle vient de vider, ce qui va amener vos deux mains au contact (affinité);

• de la regarder dans les yeux (communication);

• de lui demander : «Vous êtes invitée à ce cocktail? (communication). (Difficile de faire plus idiot, puisqu'elle est là!)

- Elle sourira (communication). Vous répondra : «Je suis l'attachée de communication de TrucMuch Incorporated.» (la firme organisatrice du cocktail en question)

- Ce qui vous permettra de répondre : «Ah bon! nous sommes en relation d'affaires avec vous. Je représente "Malins et associé".» (réalité)

- "Malins et associés", mais c'est vous qui avez organisé ce voyage d'affaires au Maroc? J'y étais.» (réalité)

- «Avez-vous aimé Marrakech?» (réalité)

- «J'ai adoré les charmeurs de serpents et la palmeraie.»

- «Ah! les promenades en calèche!»

- «Oui, nous sommes allés au bassin de la Menara, de nuit.»

- «Tiens, vous aussi?» (réalité commune)

Partis comme vous l'êtes, vous finirez par devenir de grands amoureux! L'élément le plus important est de trouver un ensemble de points sur lesquels vous *êtes d'accord*, c'est-à-dire de construire une réalité commune. Trouvez les idées, les expériences, les souvenirs que vous pouvez avoir en commun. Vos seuls outils seront la communication, la réalité, l'affinité.

Il s'agit là d'une première prise de contact; il va vous falloir maintenant former un couple. C'est une tout autre affaire. L'affinité doit être beaucoup, beaucoup plus grande; la réalité commune également. La communication doit donc être plus intense, plus profonde. Mais il s'agit toujours du même processus. Il reste toujours aussi simple.

- *Communiquez votre réalité* (vos émotions, vos sensations) *et l'affinité suivra*. C'est tout. Cela vous paraît trop simple. Essayez seulement! La seule chose qui puisse vous arrêter est votre *peur* de communiquer, *votre peur de ressentir* (de communiquer avec vous-même) et votre *peur* de faire savoir à l'Autre ce que vous ressentez.

Ces peurs s'appellent aussi le refoulement. Afin d'en sortir, travaillez simplement à communiquer un tout petit peu plus.

Votre réalité augmentera un peu et aussi l'affinité. Puis encore un peu plus. Et encore un peu plus. Gravissez marche après marche l'escalier de l'amour. Ce n'est pas une chose complexe. Toute la complexité apparente n'est que le produit de votre mental qui cherche en vain des *raisons* explicatives de votre sensation du manque d'amour. Or, nous en avons vu l'origine. Elle est inconsciente, refoulée dès l'enfance. Depuis, vous cherchez la raison. Vous ne trouvez pas. Vous empilez des «raisons» sur des «raisons». Cela s'enchevêtre jusqu'à vous plonger dans la confusion. C'est cela qui crée la complexité. Revenez vers plus de simplicité.*Communiquez ce qui est réel pour vous et communiquez avec vous-même pour savoir ce qui est réel pour vous. Ressentez et dites-le.*

Maintenir son couple en vie

La relation de couple est une entité vivante. Nous avons tendance à négliger ce fait. En bons cartésiens matérialistes, nous assimilons inconsciemment notre couple à un mécanisme. Il existe et cela suffit. C'est oublier que même les monuments de pierre finissent par se dégrader et tomber en poussière ainsi qu'en témoignent certains temples antiques.

Si le couple est vivant, alors il faut le nourrir chaque jour comme un être vivant. Il n'est pas acquis une fois pour toutes. *L'amour est un acte conscient quotidien.* Le maintenir en vie signifiera rester à l'écoute de son conjoint, lui faire savoir ce que l'on ressent ici et maintenant; lui faire savoir que l'on a compris et que l'on respecte ce que lui ressent.

Il faudra également maintenir une *réalité commune* suffisante. Entreprendre de nouveaux projets ensemble, achever tous ceux que l'on a un jour projetés ou dont on a entamé la réalisation; trouver de nouveaux points sur lesquels on se trouve être d'accord (peu importe s'il s'agit d'art, de politique, des finances, du ménage ou des derniers matchs de foot) et maintenir l'accord sur les points qui ont motivé le mariage.

Le mensonge

Les couples échouent essentiellement faute d'une communication maintenue en bon état de marche. Leur réalité commune se dégrade alors (ils n'ont «plus grand-chose en commun»), et, avec elle, l'affinité, la tendresse, l'amour.

Un facteur destructeur important est le mensonge, qui s'installe afin de pallier un manque initial de communication et d'accord. En retour, il interdit toute communication sincère, toute ouverture à l'Autre, car la personne qui vit dans le mensonge conserve toujours inconsciemment une certaine crainte d'être découverte et des conséquences que cela impliquerait.

Aussi contrôle-t-elle sa communication. Elle se surveille; elle *inhibe* sa libre expression, diminuant le flux vital qui irrigue la relation. D'autre part, le mensonge porte forcément sur un point de désaccord et le fait subsister. Si les mensonges s'accumulent, l'étendue de la zone de désaccord non exprimé qui existe entre les partenaires va augmenter. La zone d'accord va, de ce fait, diminuer, et la réalité du couple va fondre. *La relation va mourir, faute d'exister!*

Initialement, nous sentons bien que le mensonge a été utilisé afin de maintenir la relation malgré un désaccord sur un point précis.

L'origine du mensonge se situe donc dans la peur d'affronter nos désaccords. Pourtant, nous avons vu que le couple est constitué de deux personnes vivant dans deux univers mentaux différents. Ces deux personnes ont certains points d'accord, c'est cela qui les a amenées à constituer un couple, mais elles possèdent forcément des points de désaccord. C'est là une conséquence de leur individualité : elles ne sont pas strictement identiques et c'est fort heureux! Être en désaccord sur certains points n'a rien de honteux. *Aimer l'Autre, c'est aimer sa différence.*

Par exemple, une femme exige de son mari qu'il rentre immédiatement à la maison après son travail. C'est son besoin à elle qui correspond à une névrose d'abandon par un père alcoolique.

Mais son mari, lui, a un besoin non moins important de se retrouver entre copains au café, même s'il n'y boit qu'un demi-panaché. C'est sa névrose d'enfermement à lui, elle correspond à une mère possessive qui l'étouffait.

Le mensonge interviendra pour «sauver la relation». En fait, pour éviter aux deux partenaires de confronter leurs névroses respectives. Le mari prétextera des heures de travail qui n'existent pas afin de se «bricoler» l'espace de liberté qui lui est indispensable. Simple réaction de survie. Mais, ce faisant, il devra chaque jour justifier ses heures de travail et se plaindre. «C'est fou ce qu'ils nous font bosser...», s'interdisant toute spontanéité telle «Nous avons bien ri avec Jacques, au café!» La vérité, la communication, la réalité fuiront le couple et l'affinité avec elles.

Le mensonge est la conséquence de la lâcheté. Ou, si vous préférez, de l'incapacité de cet homme à confronter sa femme et à respecter son besoin à lui. À se respecter. Nul ne l'a obligé à se plier à la demande de sa femme. Seule la communication eut permis à tous deux de rentrer en contact avec leurs besoins propres et les besoins de leur partenaire.

Ils auraient découvert alors :

1°

- que l'angoisse de la femme est de voir revenir son mari ivre à la maison;

- que cette angoisse remonte à son enfance et s'adresse à son père;

- qu'elle n'est plus justifiée actuellement.

2°

- que le véritable besoin du mari n'est pas d'aller au café, mais de jouir d'un espace de liberté «entre hommes» qui lui permette d'aimer totalement sa femme en dépit d'une névrose d'enfermement;

- que cette névrose est issue de l'attitude étouffante de sa mère;

- qu'elle n'est plus justifiée actuellement.

Ainsi, les conjoints auront fait la part de leurs réalités mutuelles et de leur réalité commune.

Ce qui est réel pour eux, c'est :

- qu'ils sont porteurs d'une névrose d'abandon (elle), d'une névrose d'enfermement (lui);

- qu'ils s'aiment et désirent trouver une solution.

Alors la communication du cœur pourra leur permettre de rechercher un point d'accord qui respecte totalement leur être à tous deux.

- Le mari peut, par exemple, librement décider de trouver son espace de liberté dans un club de sport, le dimanche.

- Ou bien mari et femme peuvent se mettre d'accord sur le fait qu'il s'engage à ne rien boire de plus fort qu'une bière.

- Ou bien tout autre point d'accord que le mari et la femme acceptent de respecter en toute liberté, sans se sentir victime de l'Autre.

Il ne s'agit pas de rechercher un compromis entre les deux demandes. Tout besoin non satisfait initiera du ressentiment. Il s'agit de trouver la possibilité de satisfaire totalement les besoins des deux conjoints sans que ceux-ci renoncent à leur intégrité. Peut-être cela s'avérera-t-il impossible. Peut-être que leurs réalités respectives sont incompatibles. Il faudra alors envisager la séparation et c'est précisément cela que cet homme n'a initialement pas voulu confronter.

La communication du cœur demande du *courage* : la capacité à confronter ce qui est, à accepter de le voir, de le constater. Mais c'est aussi la seule façon de sortir de la souffrance.

Le refoulement aussi était dû à l'impuissance du nourrisson de confronter le parent maladroit. Il n'a pu ni supporter ni remédier à la situation. Il a fui dans une forme de mensonge, le déni, c'est-à-dire l'impuissance à confronter ce qui est. Ce fut là le début de la peur et de la haine.

Plus tard, l'éducation, en usant de moyens coercitifs auxquels l'enfant ne peut s'opposer ou échapper, lui apprend que le mensonge peut être un moyen de survivre. Aussi le mensonge fait-il partie de nos réflexes conditionnés. Il est fréquemment utilisé, semant des graines de ressentiment qui restimulent la peur/haine primordiale.

Mentir à l'Autre afin de conserver son amour, c'est se retrouver dans le drame de l'enfance. Le bébé, l'enfant, l'adolescent ont dû sans cesse renoncer à être eux-mêmes, renoncer aux plaisirs de la découverte, de l'exploration, de la créativité afin de «faire plaisir à maman et à papa». Ils ont dû se mentir, et mentir à leurs parents. Cette obligation de se trahir est à l'origine de la haine refoulée. L'obligation de se trahir encore afin de conserver l'amour du conjoint fait ressurgir cette haine.

Le mensonge n'est donc *jamais* une solution. Il n'est que l'évitement de la communication, la fuite devant la réalité. Abaissant les niveaux de communication et de réalité dans le couple, il détruit l'affinité et l'amour.

Restaurer l'entente dans le couple

Parfois, il semble que tout va de travers dans le couple. Chacun des conjoints se plaint de l'autre, de ce qu'il lui a fait et de ce qu'il ne lui a pas fait. La relation elle-même est remise en question.

«Il n'y a plus rien sur quoi les partenaires soient d'accord.» Il n'y a plus d'accord. Plus de réalité commune.

Il ne sert à rien de tenter de communiquer alors des sentiments d'amour. «Mais tu sais bien que je t'aime!» Non, le conjoint ne le sait plus, ne le ressent plus, car la relation ne comporte plus de réalité. Elle est devenue irréelle pour lui. Elle est juste une idée, un souvenir, voire un regret. Quelque chose qui n'a pas de réalité, qui n'est pas concret, qui n'existe plus.

La solution est de retrouver un point d'accord, afin d'établir à nouveau la *réalité du couple*. Peu importe la nature de ce point d'accord. Cela peut commencer d'une façon très modeste, très primaire comme «Veux-tu que nous allions au restaurant discuter de tout cela?»

Puis on passera à : «Veux-tu que nous allions ce week-end à Deauville?» Et encore : «Serais-tu d'accord que nous redécorions la salle à manger ensemble?» Alors, le niveau de réalité étant redevenu acceptable, la communication pourra s'élever à des niveaux permettant d'aborder les problèmes de fond et les buts fondamentaux du mariage. Des enfants ou pas? Quelle liberté s'accorder mutuellement? La place de la sexualité dans la vie de chacun. Les places respectives de l'homme et de la femme dans les charges matérielles et financières du couple.

Pour restaurer l'intimité au sein du couple, il est illusoire de vouloir développer directement celle-ci, par exemple en tentant d'introduire de nouvelles techniques sexuelles! Il est nécessaire de d'abord rétablir un accord minimal entre les deux conjoints : une *réalité* commune. Elle peut être très matérielle, très concrète et très limitée. Ce n'est pas important. C'est la première marche. D'autres suivront.

Cette *réalité* ne pourra être obtenue qu'à travers une *communication* respectant les quelques règles que nous avons définies.

Le couple sans réalité

Visualisons les trois piliers de la relation amoureuse sous la forme d'un triangle.

La surface à l'intérieur du triangle représente l'intensité vitale qui anime la relation. Ainsi, le couple 1 vivra moins intensément sa vie de couple que le couple 2.

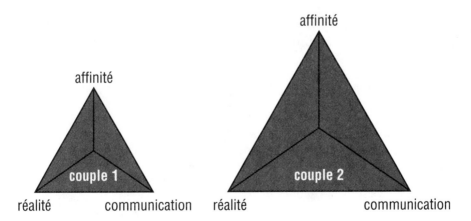

On voit que le couple 1 bénéficie d'un niveau d'affinité réduit, de réalité réduit, de communication réduit, tandis que le couple 2 porte l'ensemble de ces niveaux à une intensité très nettement supérieure.

Que se passe-t-il si un couple manque de réalité?

Cela peut donner, dans une phase transitoire, quelque chose comme ceci :

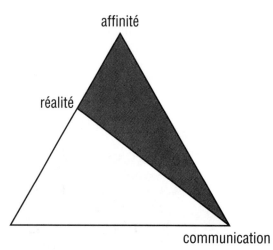

On voit que l'affinité et la communication semblent toujours bonnes. Cependant, comme il n'y a plus de «point commun» entre les deux conjoints, très vite «ils ne savent pas quoi se dire». La communication s'effondre. Sans réalité commune et sans communication, l'affinité ne peut plus exister et l'amour s'étiole. Le couple peut maintenant être représenté comme suit :

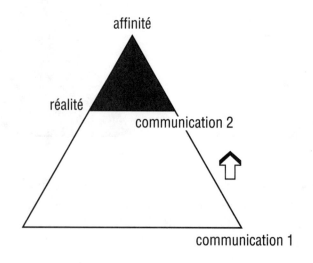

Sa force vitale est conditionnée par le faible niveau de réalité, en dépit d'une bonne capacité potentielle de communication et d'un bon niveau d'affinité (de tendresse, d'entente sexuelle) initial.

Si l'on veut revitaliser la relation, nous devrons, tout naturellement, tenter ceci :

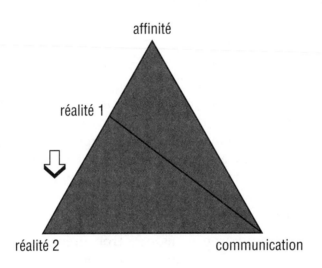

On a augmenté la réalité du couple en utilisant la communication qui permettra à chacun de faire connaître ses besoins, ce qu'il recherche dans la relation. Les partenaires arriveront à un accord sur ce qui est possible (réel) pour eux. La réalité du couple sera restaurée. Son niveau énergétique retrouvera son plein potentiel.

Le couple sans communication

De même, il existe des couples où les deux partenaires sont très tendres l'un envers l'autre (affinité), partagent beaucoup de buts communs et une vision de la vie assez semblable (réalité). Pourtant leur couple dépérit. C'est qu'ils ne communiquent pas. On peut représenter de tels couples comme suit :

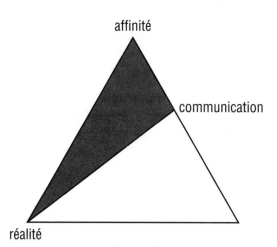

On voit que les amants sont loin d'utiliser toute la force vitale potentielle de leur relation. Dans ce cas, avant que la réalité de la relation ne s'amenuise, faute d'échanges verbaux (s'il n'y a pas échange, il n'y a pas de vie dans la relation, pas de réalité commune possible à long terme), il conviendra de porter toute notre attention sur la communication et de déterminer ce qui empêche les amants de se parler.

Timidité? Travail trop épuisant? Trop prenant? Double vie d'un des partenaires? Mensonge permanent d'un des conjoints? Lourd secret antérieur au mariage? Si le couple persiste à peu communiquer, la relation s'établira à un niveau énergétique très faible, en relation directe avec le peu d'intensité de leur communication. Ce que nous pouvons visualiser ainsi :

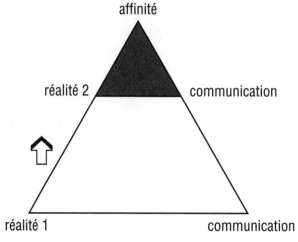

Tandis que si nos deux amoureux acceptent de découvrir ensemble l'élément qui interdisait la communication et de restaurer celle-ci, nous aurons un heureux :

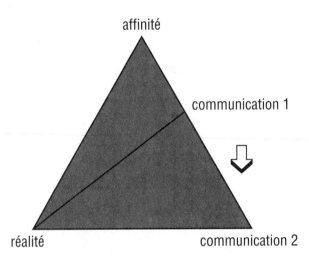

Ces schémas nous permettent de percevoir que le niveau énergétique d'une relation est conditionné par la faiblesse d'un des trois éléments : réalité, communication ou affinité.

Si l'on augmente un seul de ces éléments, les deux autres augmentent également. La communication permet de bâtir une réalité commune. Deux amants qui communiquent aisément et partagent des buts de vie communs (réalité) peuvent s'aimer (affinité). De même, c'est cette réalité commune qui leur permet de communiquer aisément, et donc d'accroître leur affinité.

Communiquer avec le cœur est l'une des manifestations de l'amour. Cet effort de conscience nous permet de ressentir nos émotions avec honnêteté; à les *donner* à l'Autre; à nous *ouvrir* à l'Autre sans réserve. Bref, d'abandonner toute inhibition, tout refoulement. De laisser circuler le flux vital, de promouvoir la vie.

Que nous faut-il pour prendre la *décision* d'agir ainsi?

Du courage. Seulement du courage, l'audace de dire oui à la vie. Fondamentalement, la seule condition à notre bonheur, à la réalisation de notre nature spirituelle, à l'accès au Divin, c'est d'arrêter de dire non. «Non, je ne peux pas supporter ceci.» «Non, je n'ose pas lui dire cela.» C'est d'être capable de *confronter* ce qui est. De dire oui à l'expérience qui est là. D'arrêter de la fuir. D'accepter de la confronter.

Elle est douloureuse? Elle est douloureuse. «Oui. J'accepte.» À peine aurez-vous réellement, absolument accepté, vécu, ressenti l'expérience, que vous en connaîtrez la leçon divine : le Sens. Et la souffrance disparaîtra, peu à peu, car vous agirez en fonction du Sens. Vos actions auront un sens pour vous; vous vous réaliserez. Ce faisant, vous évoluerez à chaque fois.

Et c'est cela le véritable courage : accepter de changer. De mourir à soi un peu.

Si vous avez ce courage, alors vous vous apercevrez que la seule souffrance, c'est de refuser de changer! La seule souffrance, c'est de dire non à ce qui est, à la vie, à l'évolution.

Si vous acceptez d'incarner Cela qui est un flux, alors vous serez la Vie, l'Amour-Conscience-Énergie.

«Vous vous connaîtrez vous-même et le secret des Dieux.» Vous saurez aimer, vous serez Amour, acceptation inconditionnelle de ce qui est.

Quatrième partie

LA DÉPENDANCE

Chapitre XII

La dépendance,
un substitut à l'amour

Bien, résumons-nous.

Nous avons dit que le sens de la vie d'un homme, sa fonction, est d'incarner l'Amour et la Conscience dans le monde matériel. Son but fondamental est tout d'abord, étant enfant, d'explorer l'univers matériel afin d'en réaliser l'apprentissage et pouvoir y survivre, puis s'y incarner grâce à la créativité sous toutes ses formes, aux activités artistiques ou spirituelles, aux développements techniques dans la connaissance de la matière et de l'énergie, reflets de la progression de l'humanité vers la Conscience.

Le niveau actuel de la recherche scientifique en physique quantique permet aux savants de revenir à une conception de la matière et de l'énergie tout à fait semblable à celle que les *rishis*, les sages hindous, avaient décrites il y a environ six millénaires. Ce fait constitue un bon exemple de cette progression qui part de la matière pour aller vers plus de conscience. Physique quantique et spiritualité ne semblent plus désormais contradictoires. Le schisme entre la pensée logique et une perception spiritualiste du réel tend à se résoudre. L'être humain approche d'une compréhension de la matière qui lui permet de percevoir qu'elle est, effectivement, énergie (Einstein l'a découvert en 1921), conscience (les physiciens y viennent!) et amour (ce sera l'étape finale).

Cependant, l'enfant doit franchir toute une série de portes afin de s'incarner, d'apprendre à *survivre*. Les leçons qui lui sont données par ses parents qui, eux-mêmes, très généralement, n'incarnent pas l'amour et la conscience, ne lui permettent pas de rester en contact avec la Source, Amour-Conscience-Énergie.

L'«intelligence du cœur», qui est le mode de perception du domaine du spirituel, est peu à peu inhibée par une éducation privilégiant l'obéissance et le conformisme en sacrifiant la sensibilité de l'enfant. Celui-ci doit se couper de ses émotions afin de conserver l'«amour» parental, condition de sa survie.

Rappelons que selon notre symbolisme religieux, le Christ, un homme qui incarna l'Esprit, eut pour mère la Vierge, l'*Immaculée Conception*. Une femme «sans tâche», c'est-à-dire sans névrose, sans conflit émotionnel. Ainsi put-il, bénéficiant d'une éducation *aimante* respectant totalement son être, incarner l'Esprit et le manifester dans le monde matériel.

Rares sont les êtres humains qui bénéficient d'une telle éducation. La plupart sont porteurs de traumatismes émotionnels refoulés, très généralement infligés par les parents. Jusqu'à l'âge de trois ans, l'enfant n'a guère d'autres contacts avec le monde extérieur. Or c'est précisément durant cette période qu'il acquiert le plus gros de ses structures mentales; les parents sont donc au cœur de toute névrose. Non qu'ils soient «coupables», mais ils sont, étant les géniteurs, à l'origine de l'éducation, consciente et inconsciente, reçue par l'enfant.

La plupart d'entre nous sont porteurs d'une protestation refoulée contre la maladresse de nos parents, cause d'une souffrance immense lors de l'enfance. Les souvenirs des incidents traumatiques ainsi que cette protestation sont refoulés dans l'inconscient où ils acquièrent, au fil du temps, une force démesurée; c'est la peur/haine refoulée.

Le refoulement de cette peur/haine coupe alors l'être de ses émotions puisqu'il s'interdit de les ressentir et en inhibe l'expression. Ne disposant plus vraiment de l'appareil perceptif, seul capable d'appréhender la dimension spirituelle, celle de l'Amour, il ne lui reste que l'appareil perceptif adapté à la survie matérielle : le mental. Il est devenu un être totalement matérialiste.

C'est là le but de l'éducation telle qu'elle est pratiquée de nos jours. Donner à l'enfant un bon outil de survie dans le monde matériel. Le spirituel n'entre plus en compte. *De ce fait, l'amour n'est plus accessible.*

L'individu ayant subi pareil apprentissage au monde se ressentira confusément comme coupé, incomplet puisqu'il ne jouit plus de toutes ses sensations, son «intelligence du cœur». Il se ressentira *insatisfait*, en manque d'amour. Incapable de reconstruire cet amour en lui, de «retourner à la source», faute de sensibilité, il va tenter de le trouver dans le monde manifesté.

Le contact avec la nature, la sexualité, l'amour, les différentes formes de méditation, les différentes voies spirituelles pourraient lui en donner l'occasion. Mais là encore, faute de l'intelligence du cœur, il n'y parviendra pas, ou peu. Étant «piloté» par le mental, ayant appris que la seule réalité se trouve dans la matière à l'exclusion de toute notion d'Esprit, il va tout naturellement tenter de trouver un équivalent matériel susceptible de satisfaire son manque d'Amour, son *vide spirituel*. Ce sont les substituts à l'Amour, tels la pornographie, l'alcool, la drogue, la course à l'argent.

Mais on ne comble pas un vide immatériel avec de la matière. Même si ce vide prend la forme incarnée du manque de la mère ou du père, il ne peut être assouvi par l'amour et l'affectivité telle la relation avec l'amant ou le conjoint, si cette relation s'établit d'une manière compulsive, dans la dépendance et l'inconscience de ce qui est véritablement en jeu. Ce vide ne peut être comblé que par la prise de conscience psychothérapeutique ou spirituelle qui seules, en induisant la cessation du refoulement, permettront l'apparition de «l'intelligence du cœur» et l'accès à la Conscience et à l'Amour.

Le conjoint, le partenaire sexuel, la drogue, l'argent, la nourriture, la reconnaissance sociale, le pouvoir, la célébrité ne
pourront jamais combler la sensation du manque primordial,
le manque d'Amour.

C'est le refoulement de la peur/haine (c'est-à-dire, par définition, l'inconscience, l'empêchement à aller vers la conscience)
qui interdit l'accès aux émotions, à la sensibilité, à l'amour et
ultimement à une relation pouvant conduire le couple vers sa
dimension spirituelle, seul espace permettant à l'amour incarné de combler le manque primordial d'Amour.

Sans prise de conscience de ce refoulement, il n'y a pas de possibilité d'accéder à l'amour. D'incarner l'amour. *D'être aimant.*
Les diverses formes de relations amoureuses s'avéreront
toutes plus ou moins partielles. Elles seront des substituts à la
relation d'amour. Leur but sera de combler le manque, de
trouver l'amour à l'extérieur de soi, alors qu'il ne peut être
comblé que par l'intérieur. *Aimer, c'est tout d'abord s'aimer soi-
même, ne plus se juger, sortir du mental.* Et non pas dépendre
d'un partenaire pour assouvir le manque.

Cependant, dans le cadre d'une perception du réel matérialiste et mécaniste, la seule solution au manque est de le
combler par des objets matériels. C'est pourquoi la *sensation de
manque* d'un conjoint, de reconnaissance, d'argent, viendra se
substituer à celle, devenue incompréhensible, du manque
d'Amour. C'est là tout le mécanisme de la dépendance, qu'elle
prenne pour objet la relation amoureuse, l'alcool, les drogues,
le pouvoir ou l'argent.

Dans la relation amoureuse, cette quête substitutive prendra
principalement deux formes :

• la dépendance sexuelle,

• la dépendance affective.

La personne en manque d'amour va tenter de se satisfaire à
travers deux sensations : l'orgasme sexuel et la tendresse.
Ainsi, elle sera *dépendante* d'un partenaire (ou de plusieurs)

qu'elle percevra comme *source d'Amour*. Elle prendra des êtres incarnés pour des sources susceptibles d'étancher sa soif spirituelle.

N'ayant comme recherche qu'une satisfaction de ses besoins propres (c'est l'amour égotique), elle se servira de l'Autre en tant qu'objet de satisfaction sexuelle ou affective, ou les deux à la fois. La *matérialisation* de l'Amour devient ainsi complète. La personne se perçoit elle-même comme un système souffrant d'un manque. Elle va utiliser l'Autre comme un objet susceptible d'effacer le manque. La relation d'amour est devenue *utilitaire*. Le tout dans l'inconscience la plus totale.

On appelle cela l'«amour»! Il est *conditionné* par l'obtention du soulagement du manque et *dépendant*. «Fais-moi l'amour», «aime-moi», «ne me quitte pas».

L'Amour, lui, rappelons-le, est *inconditionnel* (c'est un état qui l'on porte en soi, il ne dépend pas de l'extérieur) et, de ce fait, totalement *liberté*.

L'amour dépendant peut donc être considéré comme un «non-Amour». Et même un anti-Amour, un empêchement à l'Amour. Pourtant, c'est bien de l'«amour» *conditionné* et *dépendant* («Si tu fais cela, je t'aimerai beaucoup; si tu ne fais pas cela, je ne t'aimerai plus.») qu'a reçu l'enfant. D'où son profond désespoir, lui qui bénéficie encore d'une totale sensibilité! Et son incapacité, devenu adulte, à percevoir ce que pourrait être une relation d'Amour.

C'est là l'origine de la confusion entre «amour» et Amour dont la plupart d'entre nous souffre. Le travail de conscience (sortir du refoulement, de l'inconscience) est seul susceptible de nous permettre d'accéder à l'Amour. Ce travail peut prendre une forme psychothérapeutique ou spirituelle et, de préférence, les deux à la fois. Mais il doit être quotidien, pragmatique. *L'amour est une action consciente.* C'est pourquoi nous devons, si nous voulons véritablement aimer, passer par un réapprentissage du monde afin de le percevoir en tant que manifestation de l'Amour-Conscience-Énergie.

Examinons maintenant l'«amour» dans la dépendance et comment en sortir, nous libérer.

La dépendance sexuelle

La dépendance sexuelle est due à l'incapacité d'assouvir véritablement son désir d'Amour. L'involution que je viens d'exposer part du plus bénin (la sexualisation de toute relation homme-femme) au plus tragique (les abus sexuels sur enfants, aggravés de meurtre).

Le véritable désir du dépendant sexuel serait de se réunifier avec le Tout à travers l'acte sexuel. Si cela ne s'avère pas possible à cause du refoulement qui ne lui permet pas une sensibilité suffisante, la sexualité sera ravalée au rang de simple décharge énergétique. Mais le refoulement ne permettant pas non plus l'accès à l'orgasme génital total, apparaîtront alors toutes sortes de substituts, de plus en plus néfastes au fur et à mesure que croîtra la souffrance de la frustration.

La dépendance sexuelle apparaît lorsqu'un être rencontre l'échec à assouvir la sensation du manque. Comme le manque d'amour primordial ne persiste que par le refoulement de la haine, il est toujours accompagné de violence. Seul le degré de celle-ci évolue, du simple harcèlement irrespectueux (la «drague») jusqu'au viol et au meurtre.

Ce qui interdit à l'être de trouver l'amour et ainsi d'assouvir son désir, fondamentalement, c'est son incapacité à sortir du refoulement. Le désir sexuel en lui-même, s'il est librement accepté, est *toujours sain*. Seul le refoulement qui interdit la décharge énergétique le rend malsain et pervers.

Le premier niveau de dépendance sexuelle est l'obsession. Faute d'être satisfait, le désir reste *présent en permanence*.

La répression obsessionnelle

Alors que je menais une étude très poussée sur les «sectes» (les nouveaux mouvements religieux), je tombai par hasard sur un fait curieux. Il y a proportionnellement beaucoup plus de condamnations pour affaires de mœurs parmi les hommes des religions officielles que parmi les adeptes des sectes! La pédophilie des hommes d'Église est très courante dans les pays anglo-saxons (plusieurs centaines de cas jugés dans les dernières années) et n'est pas inconnue dans l'Église catholique française. Plusieurs dizaines de cas sont connus, malgré les efforts de la hiérarchie catholique qui tente toujours de trouver un arrangement avec la famille afin d'éviter les procès et la publicité qui en découle.

C'est là un exemple du premier degré de dépendance sexuelle. Sa répression induit une obsession. Ainsi, la préoccupation majeure de certaines personnes qui font métier de réprimer la pulsion sexuelle devient le sexe. Cependant, ce caractère obsessionnel peut rester totalement inconscient. À ce niveau se situent toutes les personnes et les cultures pour lesquelles le sexe est porteur d'angoisse. Nous avons vu que cette angoisse est liée au refoulement de la haine vis-à-vis de la mère, qui fut le premier objet d'amour de l'enfant.

La mère, qui devrait incarner pour l'enfant cet amour, ne le peut, car elle-même est porteuse de frustrations et de névrose. L'enfant rencontre là un échec à l'assouvissement de son besoin d'amour, d'où l'angoisse. N'oublions pas que le sens véritable de son incarnation, ultimement, c'est d'*apprendre à incarner l'Amour*. Comme la relation avec la mère conditionne également la fonction sexuelle, si elle n'a su communiquer l'Amour, la sexualité perd son caractère sacré d'apprentissage à l'Amour et l'orgasme perd son rôle de porte vers la fusion avec le Tout. La sexualité, réduite au plaisir génital, est vouée à rester matérialiste et porteuse d'angoisse. L'Église, en condamnant le sexe, ne fait qu'entériner ce fait et aggrave la frustration/obsession puisqu'elle n'offre plus par ailleurs de voies vers l'extase, la fusion avec le Tout.

Répression et société

L'angoisse liée à la sexualité a également une origine culturelle et historique. Si la sexualité a longtemps été réprimée par le corps social, c'est qu'elle fut, à un moment de l'histoire de l'humanité, perçue comme dangereuse.

On peut classer les sociétés humaines en deux catégories bien distinctes :

- les sociétés «endogames», celles que nous connaissons depuis le néolithique, qui tentent de «rester entre elles» et de donner les filles aux mâles de la tribu, afin de conserver la terre. Le mâle étranger est donc perçu comme dangereux et la sexualité également.

- les sociétés «exogames» dites «sauvages» qui, au contraire, recherchent systématiquement à marier leurs filles et leurs fils à l'extérieur du clan afin de nouer des alliances poli-tiques d'une extraordinaire complexité. L'étranger est alors perçu comme un allié potentiel et la sexualité comme une valeur très positive puisqu'elle contribue à assurer la puis-sance du clan.

De plus, dans les sociétés endogames, les sociétés patri-linéaires où les biens se transmettent préférentiellement du père au fils sont les plus menacées par la liberté sexuelle des femmes. C'est le cas de notre culture.

En effet, dans les sociétés de type matrilinéaire où les biens sont distribués par héritage aux enfants des femmes, soit directement soit par l'intermédiaire de l'oncle maternel, la sexualité menace peu la survie du clan. Quel que soit le père, on sait toujours de quel ventre sort l'enfant. Les biens du clan centré autour des femmes ne sont jamais dilapidés par la liberté sexuelle. La terre ou les biens appartenant au clan resteront toujours aux membres du clan issus du ventre des femmes du clan, même si c'est un homme étranger qui en est le père.

Au contraire, dans les sociétés patrilinéaires où les enfants appartiennent *au clan* du père, il devient dangereux de laisser les hommes étrangers faire l'amour aux femmes du clan. Si celles-ci enfantent d'un enfant extérieur au clan, la terre que cet enfant héritera de sa mère sortira de la propriété du clan et l'appauvrira, menaçant sa survie. La sexualité sera donc perçue comme dangereuse et devant être contrôlée socialement. Elle sera sous surveillance, *inhibée*.

Ayant vécu dans les deux types de sociétés, j'ai pu ressentir à quel point le type exogame ou matrilinéaire facilite l'accès à une sexualité heureuse, à la dimension d'amour, d'ouverture à l'Autre, de lâcher-prise et à la relative absence de tensions psychiques et physiques. Tandis que le second type endogame et patriarcal, auquel appartient la société qui est la nôtre, entraîne une fermeture à l'étranger, perçu comme un danger; une angoisse vis-à-vis de la sexualité et des femmes; la violence; le machisme; les perversions; l'apparition de religions interdictrices et obsédées par la sexualité.

Un exemple frappant d'une telle logique nous est présenté par la vie dans les ghettos urbains peuplés d'immigrés d'origine maghrébine. J'ai eu à connaître le cas d'un «gang» où le rituel d'admission consistait dans le viol d'une jeune fille étrangère aux familles auxquelles appartenaient les membres du clan en question. Ces mêmes jeunes, qui recherchaient avec avidité la relation sexuelle, s'investissaient en même temps du rôle de gardien de la virginité de leurs sœurs et de leurs cousines ainsi que de la morale sexuelle de leur tante, de leur mère, de leur grand-mère! Il faut avoir vu un gamin de treize ans menacer de tuer sa sœur de vingt ans, si celle-ci prétend accéder à la liberté de «flirter», pour comprendre à quel point la répression de la sexualité correspond au refoulement d'une violence inouïe qui plonge ses racines dans l'inconscient collectif.

Il n'est pas étonnant que dans ce type de sociétés patriarcales, dont la nôtre fait partie, les religions se munissent d'un pouvoir de répression sexuelle qui n'a rien à voir avec la spiritualité. Elles sont le garant de l'ordre sexuel comme elles sont le garant de l'ordre social. Leur fonction n'est plus spirituelle; elle est, en vérité, politique.

Bien que la liberté sexuelle des femmes ne menace plus les biens de la famille européenne depuis déjà un siècle ou deux, notre société garde encore l'empreinte de cette problématique qui débuta avec l'apparition du néolithique, il y a soixante siècles et perdura donc cinquante-huit siècles.

L'inconscient collectif reste imprégné de cette peur de la sexualité. Cette peur ne tient pas à la religion mais à l'*organisation patrilinéaire* de notre société. La répression/obsession sexuelle restera présente dans notre culture pour de nombreuses générations encore, même si celle-ci est marquée par une pseudo-libéralisation qui n'est qu'une rupture du cadre social et non une disparition de l'angoisse vis-à-vis du sexe.

La sexualité génitale

Assimilé à quelque chose de vaguement honteux et dangereux, l'acte sexuel a perdu toute capacité à donner accès à l'Amour et à remplir une fonction spirituelle. L'assouvissement total du manque d'Amour, la fusion avec le Tout s'avèrent dès lors impossible. Outre sa fonction de procréation, la sexualité se limite à la recherche d'un plaisir qui n'est que le pâle reflet de l'extase sexuelle sacrée. Dès lors, le partenaire devient surtout le moyen d'accéder au plaisir. La sexualité devient une dépendance.

«Je t'aime car j'ai besoin de toi pour relaxer ma tension génitale. Il me faut deux orgasmes par semaine, c'est mon besoin. Comble-le et je comblerai le tien.» Si la relation est satisfaisante, les deux partenaires se considéreront comme un couple heureux.

Voici le second niveau de ma dépendance sexuelle. Il est si répandu qu'il apparaît comme «normal». Il constitue la norme qui édicte : *La sexualité est un plaisir du corps, de nature génitale, dont la satisfaction dépend d'un partenaire sensuel. Si un tel partenaire vient à manquer, le manque sexuel apparaît.*

Cette conception témoigne d'un échec à atteindre une sexualité que je crois être *essentielle* et représenter l'état naturel de cette fonction chez l'être humain. En voici une définition : *La sexualité est une action consciente qui permet, en mobilisant l'énergie psychique et physique, d'accéder à la perception de l'Amour-Énergie-Conscience. En cela, elle est proche des activités de nature spirituelle telles la méditation. Le partenaire sexuel est un compagnon de ce voyage vers la conscience, il est totalement libre. Le voyage ne dépend pas de sa présence ou de son absence.* C'est la conception que propose le Tantra. Nous y reviendrons dans le volume *Plaisir et jouissance.*

Au sein de notre culture, la sexualité ne permet plus d'atteindre le sacré. Échec si général que l'immense majorité d'entre nous ignore qu'il existe une «sexualité sacrée». L'être humain est tombé dans une génitalité perçue comme dangereuse, donc objet de tabous, de réglementations, d'inhibition, de répression.

La sexualité sans conscience

Le troisième niveau d'échec se situe dans l'incapacité à jouir d'une génitalité heureuse.

Alors apparaissent la frigidité, l'impuissance et les perversités. L'être qui se situe à ce niveau énergétique (rappelons-nous, si on descend dans l'inconscience, l'énergie et l'amour décroissent parallèlement) ne peut plus satisfaire par une action directe et simple la pulsion génitale. Elle est devenue par trop porteuse d'angoisse. Il doit l'*assouvir sans la pratiquer,* faire «comme si», mais pas totalement. C'est la masturbation, l'exhibitionnisme, le voyeurisme, toute activité qui permet la décharge génitale, mais évite la véritable relation d'intimité, c'est-à-dire l'Autre et l'amour.

Ces pratiques sont des substituts à la génitalité dans le couple, elle-même substitut à une sexualité sacrée. Elles possèdent toutes un point commun, la recherche vise à la construction d'une charge énergétique (l'excitation), puis à sa décharge explosive, permettant durant un court instant l'accès à la sensation orgastique : l'arrêt du mental et le soulagement de la tension.

Au moment précis de l'orgasme génital, l'intensité de la sensation déborde les capacités de traitement du mental. Celui-ci «disjoncte» alors et donne accès à la sensation seule, qui pourrait constituer une voie vers l'extase, l'appréhension de l'«ici et maintenant», une expansion de la conscience, si seulement les deux amants étaient conscients de cette capacité qu'ils possèdent d'ainsi fusionner avec le Tout, s'ils étaient encore en contact avec leur dimension spirituelle.

Malheureusement, l'expérience orgastique génitale n'exploite nullement cette possibilité. L'énergie reste circonscrite dans le bas-ventre et le flux ne se diffuse pas dans tout le corps, faute d'un abandon total à l'Autre. Alors que la sexualité sacrée possède du Sens en tant qu'ascèse menant à la Conscience et l'Amour, que la génitalité du couple conserve un aspect d'amour à travers le respect et l'attention portés à l'autre, la sexualité compulsive – *la sexualité sans une véritable intimité des partenaires* – a également perdu Amour et Conscience. Elle n'est que le soulagement mécanique d'une tension, en évitant toute communication avec l'Autre, tout respect de l'Autre, donc tout Amour.

De plus, elle se pratique à un niveau énergétique assez bas. Les extases expérimentées dans la sexualité sacrée peuvent durer, en toute conscience, durant plusieurs heures, et sont d'une puissance sans aucune mesure avec l'éjaculation furtive vécue dans le cadre d'une sexualité purement génitale.

Ces formes de sexualité compulsive laissent la personne qui s'y adonne dans un total état de frustration et donc dans une obsession permanente. Le but véritable de la sexualité, la progression vers l'Amour-Conscience, ne saurait être atteint puisqu'il est ignoré. La sensation de frustration croît sans cesse devant l'accumulation des échecs, croît peu à peu, jusqu'à acquérir une existence propre échappant au contrôle de la personne atteinte de dépendance. «C'est plus fort que moi. Il faut que je me masturbe.» Mais toujours la satiété fuit.

Cette recherche névrotique de l'amour par des moyens mécaniques qui ne sauraient convenir ne peut que restimuler puissamment le manque originel et la frustration primordiale. La haine apparaît alors, restimulation de l'échec connu en tant qu'enfant.

Puisque l'être a recherché au-dehors de lui-même l'assouvissement du manque d'amour, il s'est déchargé sur l'Autre de la responsabilité de combler ce manque. Si ce manque reste inassouvi, c'est que l'Autre «refuse» de le combler. Il est responsable de l'inassouvissement. S'il est responsable, il est coupable. Le dépendant sexuel a – enfin! – trouvé une cible sur laquelle décharger sa haine refoulée. C'est le quatrième échec qui mène à :

La violence sexuelle

«Il brûlera ce qu'il a adoré.» Il tuera sa maîtresse. Il violera. Faute de ne pouvoir jouir complètement des objets sexuels (amants, amantes, conjoint...), il les détruira. C'est là une réaction compulsive automatique. Ceux qui se sentent impuissants à jouir de quelque chose, à *en avoir la jouissance*, à posséder ce quelque chose (on «conserve la jouissance» de tel bien), à le contrôler, à l'utiliser pour leur satisfaction personnelle, préféreront le détruire plutôt que de s'en détourner.

La sexualité dépendante qui considère l'Autre *comme un objet que l'on possède* ouvre donc la porte à la violence puisque ce que détruit le violent sexuel, c'est l'objet supposé l'assouvir et qui n'a pas rempli son rôle.

Abandonner cet espoir d'assouvissement, sans détruire l'objet cause de la frustration, représenterait un *échec total*. La destruction est la forme *a-minima* (la moins «jouissive») de la jouissance, de la propriété.

Un exemple tiré de la vie quotidienne nous montre le lien entre incapacité à jouir pleinement d'un bien et sa destruction.

Les dégradations de biens communs, tel le mobilier urbain, interviennent surtout dans les zones où les habitants ont le sentiment de ne pas jouir de leur environnement, de ne pas le contrôler, d'être plongés dans l'impuissance.

Ainsi, l'*impuissant à jouir véritablement* violera des enfants, voire ses propres enfants ou se livrera au masochisme sexuel. Il se fera souffrir. Il détruira ce dont il ne peut jouir, l'*innocence* de l'enfance, son propre corps, le corps de l'Autre.

Nous assistons là au stade final de l'involution :

- échec à atteindre l'Amour-Conscience par la sexualité sacrée;
- échec à atteindre la relation amoureuse harmonieuse;
- échec à atteindre l'orgasme génital libérateur des tensions;
- échec à toute jouissance, violence.

Remarquons qu'à chaque niveau correspond un peu plus de matérialité et un peu moins de conscience de soi ainsi que de contrôle sur soi (de «jouissance de soi»). *L'impuissance à jouir va de pair avec la perte de Conscience. La violence est l'inéluctable conséquence de la perte du Sens.*

La sexualité est l'incarnation de l'élan vital. Elle est *signifiante*. Elle est *essentielle* en ce qu'elle manifeste dans le monde matériel le sens de la vie : le développement de la Conscience à travers la relation, la production d'énergie et de vie.

Si elle perd ce sens, il est évident qu'elle perdra également peu à peu sa raison d'être, sa réalité et le pouvoir d'atteindre son but : la jouissance, la capacité à expérimenter le plaisir que confère la créativité énergétique (qui peut prendre la forme de l'enfantement), puis la fusion dans l'Amour-Conscience : l'extase.

La cause première de cette involution, rappelons-le, est le matérialisme : le refus de la dimension sacrée de la sexualité pour la dégrader jusqu'à en faire une technique provoquant un relâchement des tensions physiques, utilisant le partenaire sexuel comme un *moyen* d'arriver à ses fins.

Le véritable acte d'Amour ne peut être marchand, puisque ce qui s'y communique ne participe pas du domaine du matériel. Si l'acte d'amour est un acte d'échange de services, de sensations, de soulagement, alors il est une opération marchande.

C'est le début de l'involution. L'Autre est devenu le *dealer* qui fournit la «dose» de sexualité. La citerne où pomper de quoi combler le manque. La boîte de calmants pour soulager la tension. La fosse d'aisance dans laquelle déverser sa névrose. Alors, on lui «chiera» dessus physiquement (coprophilie), on lui «pissera» dessus physiquement (ondinisme), matérialisation de la fonction «sexuelle» telle qu'elle est perçue : elle est devenue la poubelle de toutes les névroses.

Quelle chute! Mais cette chute commence au tout début : «J'ai besoin de te faire l'amour.» On devrait plutôt dire : «Je ressens le besoin de me soulager dans toi.»

Toute sexualité qui ne s'inscrit pas dans le domaine d'une progression vers plus d'Amour et de Conscience s'engage sur la voie du matérialisme sexuel. Elle devient peu à peu de la pornographie, de la perversité.

Dépendance sexuelle et société

Notre société est, sans contredit possible, la plus sexualisée sur le globe et probablement de toute l'histoire de l'humanité. Le marchand de mil africain ne songerait pas à exposer des images de femmes dénudées pour attirer le chaland; pourtant, nos commerçants le font. Que ce soit pour des produits de grande consommation, de l'alcool, du tabac, du café ou des voitures, une discrète connotation sexuelle vient très souvent appuyer le message publicitaire («Un café nommé désir»).

Je me souviens de ce très beau film publicitaire où une femme (blanche) se promenait sous la pluie de la mousson, en dégustant un yaourt et déclenchait le regard perçant d'un jeune euphèbe indigène. Yaourt = exotisme = jeune mâle = désir = Achetez donc du yaourt!»

Le fantasme du jeune mâle est donné en prime aux femmes, clientes potentielles. Le corps masculin est devenu objet de désir, comme le corps féminin l'est depuis longtemps. C'est là le résultat de la «libération» des femmes. Elles adhèrent désormais aux deux règles de la société des mâles :

• tout est sexuel;

• tout est objet.

Il est donc parfaitement légitime de vendre un objet (le yaourt) en utilisant le désir d'un autre objet (le corps du jeune mâle), tout en suggérant de surcroît un rapport de pouvoir : femme blanche (riche et puissante, référence à la colonisation et aux coûteux voyages lointains), elle désire et est elle-même objet de désir d'un jeune indigène (pauvre).

Que de subtilités pour vendre du yaourt! Mais aussi quelle leçon pour qui est attentif! Les névroses de notre société se lisent très clairement à travers la publicité. Celle-ci s'adresse aux pulsions de l'acquéreur potentiel et ultimement à sa recherche d'assouvissement du manque.

Durant un mois, vivant à Paris, écoutant la radio le matin, regardant la télévision le soir et lisant la presse hebdomadaire (*Le Nouvel Observateur*, *L'Express*, *Le Point*), j'ai compté le nombre de messages à connotation sexuelle auxquels j'étais soumis. Le résultat me stupéfia. Il allait de 30 à 65 (un record!) *par jour*. Certaines émissions de variétés à la télévision contenaient plus de vingt allusions verbales à la sexualité, outre les danseuses à peu près nues sur le plateau. On appelle cela des «variétés». On peut aussi considérer qu'il s'agit de dépendance sexuelle, vouée à finir dans la violence de la frustration, après une évolution inéluctable.

L'omniprésence d'allusions à la sexualité, la montée de la violence, la diffusion de plus en plus large de la pornographie, l'expansion de l'inceste (environ 20 % des femmes font, avant le début de leur thérapie, mention d'inceste; plus encore retrouvent des souvenirs de tels incestes refoulés au cours de la thérapie elle-même) et, d'une manière générale, la dissolution de la Loi, du «cadre» n'ont qu'une seule origine : la faillite de notre société à permettre à chacun une progression vers la Conscience, lui donnant ainsi accès à l'Amour.

L'échec à combler ce manque par la génitalité est inévitable. Nous avons vu pourquoi il ne peut en être autrement. D'échec en échec, la frustration augmentera, la violence apparaîtra comme conséquence de la destruction de la Loi : la perte du Sens.

L'individu ne fait que refléter dans sa relation amoureuse les choix enseignés par l'éducation sociale inconsciente :

- il sexualise toutes les relations homme-femme;

- il considère (inconsciemment) l'Autre comme un objet (d'«amour»).

Ce faisant, il s'interdit toute communication véritable puisqu'il ne peut communiquer véritablement avec un objet. La pauvreté de la communication que l'on constate au sein d'un couple n'ayant guère que la relation sexuelle comme lien est effrayante. Dans le cabinet du thérapeute, ils se découvrent comme deux étrangers. Des films comme *Basic Instinct* sont à cet égard très représentatifs. Les «amants» y entreprennent une liaison d'une «intensité maximale», alors même que l'homme ne connaît absolument pas la femme dans laquelle il éjacule. Ils ne font rien d'autre que cela, ce n'est qu'une «relation» d'éjaculation réciproque.

La dernière image du film laisse planer un doute sur la réelle intention de la femme : le tuera-t-elle ou pas?

La relation «amoureuse» limitée à la sexualité révèle en fait une impuissance à communiquer, à s'ouvrir à l'Autre et à l'Amour.

Pourquoi les amants inhibent-ils leurs rapports jusqu'à les réduire à la pénétration génitale?

Parce qu'ils doivent satisfaire leurs pulsions sexuelles, seul moyen pour eux d'exprimer ce qui leur reste de recherche de la fusion, porte d'accès à l'Amour. Ils ont perdu toute *capacité d'intimité*, car s'ils en sont arrivés à réduire leur *communication* à ce point-là, c'est qu'ils souffrent terriblement. S'ils étaient en bonne santé émotionnelle, ils communiqueraient sur tous les plans de leur vie commune; ils oseraient se montrer tels qu'ils sont.

S'ils n'osent pas se montrer à l'Autre tels qu'ils sont, c'est qu'ils se jugent indignes d'amour, inaptes à être aimés; là est leur souffrance.

S'ils se déconsidèrent ainsi, c'est qu'ils n'ont pas reçu le respect et l'amour qui leur auraient permis de se respecter et de s'aimer eux-mêmes. Et donc, de se laisser aimer.

Poussés par la nécessité de décharger la tension, le «stress», par le moyen de l'orgasme, ils «doivent» faire l'amour.

Rendus incapables de communiquer faute de pouvoir s'ouvrir à l'Autre, car ils ne s'aiment pas eux-mêmes, ils ne peuvent construire une réalité commune à leur couple. Ils ne sont donc pas très réels l'un pour l'autre; ils ne se connaissent guère. D'où un renforcement de l'incommunicabilité. Ils «font l'amour» sans pouvoir rencontrer l'Amour.

Compte tenu de la faiblesse du niveau de communication et de réalité, leur affinité, leur «amour», se dégradera. La sexualité leur tiendra alors lieu de communication, de réalité et d'affinité, faute de véritables communication, réalité et affinité. Elle sera devenue un simple ersatz. Bien loin de sa fonction naturelle, l'accès à l'Amour, elle sera un *moyen* de soulager le manque dans l'inconscience la plus totale.

Ce soulagement ne pourra être que très partiel, limité dans le temps et conduira inévitablement à l'insatisfaction.

D'où l'échec assuré et la dégradation énergétique progressive, depuis le bel enthousiasme de l'adolescent plein de «jus», jusqu'à la passivité du pépé qu'il est devenu, condamné à épuiser ce qui lui reste de libido au moyen du film porno hebdomadaire à la télévision. Entre les deux termes, aucune évolution vers la Conscience. Le vieillard est encore l'adolescent, mais sans la puissance. Il n'a rien gagné en sagesse, en savoir, en Conscience ou en Amour.

Sa seule erreur fut d'avoir délégué à la relation sexuelle et à ses partenaires la charge de se connaître et de s'aimer lui-même par une lente et attentive progression vers la Conscience. Il fut passif. Il a été *dépendant* de la sexualité, croyant y trouver l'Amour. Heureux s'il a échappé à l'involution vers la violence et la perversité du vieillard libidineux!

La dépendance affective

La plupart d'entre nous ne tentent pas de combler le manque d'amour à travers la seule dépendance sexuelle. Certes celle-ci, comme nous l'avons vu, est omniprésente dans notre culture, mais le plus généralement elle est associée à un autre substitut : la dépendance affective. Si le dépendant sexuel ressent «je ne peux me passer de faire l'amour», la dépendante affective ressent, elle, «je ne peux me passer de mon doudou», ou bien «je ne peux vivre sans câlins».

La plupart des hommes gèrent leur manque d'amour à travers un système où la dépendance sexuelle est majoritaire; la plupart des femmes, elles, penchent plutôt vers la dépendance affective.

Expliquer pourquoi, c'est plonger dans les racines de la différenciation sexuelle. Le Maître tantrique démontrerait que
l'univers féminin est *essentiel*, proche du Sens et donc plus
ouvert à l'Amour; c'est pourquoi la relation avec à l'Autre
apparaîtra aux femmes plus importante que la satisfaction des
pulsions sexuelles. Tandis que l'homme, lui, est *actif*, expansif,
extériorisé, tourné vers le monde matériel. Il sera plus en relation avec l'Énergie et choisira avant tout la décharge énergétique qu'offre la sexualité.

Le psychanalyste se référera au fait qu'enfant, le mâle a été,
inconsciemment, objet de désir de la mère. Il en retire un fort
rapport avec la sexualité en tant que voie vers l'«amour», plus
en tout cas que la petite fille qui, elle, n'a pas eu ce genre de
rapports très physiques avec la mère. La petite fille s'investit
beaucoup plus tard dans le rapport œdipien avec le père. C'est
là un rapport de séduction, de communication. L'archétype de
la relation avec l'Autre sera donc pour le «fils de sa mère»
plutôt dans le *toucher physique* et pour la «fille de son père»
plutôt dans *la relation de séduction*.

Si le père et la mère ne sont pas équilibrés et «passent à
l'acte», véhiculant d'une façon inconsciente leurs propres
désirs ou inhibitions en s'adonnant à des attouchements
génitaux sur leurs enfants (même très subtils et sous des
rationalisations de toilette par exemple), ceux-ci percevront le
malaise qui habite le parent et en conserveront la «leçon»
inconsciente : honte, peur, jugement, violence, impuissance,
rattachés à la sexualité.

Chez la plupart des cas qu'il m'a été donné de connaître dans
le cadre thérapeutique, les deux dépendances sont étroitement
liées, imbriquées, fondues l'une dans l'autre. Elles forment le
tableau du couple moyen au sein duquel les partenaires sont
dépendants à la fois sexuels et affectifs.

La dépendance à la relation

Le dépendant sexuel ne communique pas avec son partenaire, mais avec la satisfaction de son propre besoin sexuel, le partenaire n'étant qu'un moyen parfois encombrant. La dépendante affective, elle, ne communique pas avec un être humain mais avec la satisfaction de son besoin d'une relation. Le partenaire ne sera là aussi, quoique d'une façon plus subtile, qu'un moyen, pas toujours docile, hélas!

Les dépendantes affectives n'aiment pas un autre être humain. Elles soulagent leur manque.

(Je signale en passant que le choix de «il» ou «elle» est purement arbitraire, je pourrais tout aussi bien écrire «le dépendant affectif».)

Leur bonheur dépend donc de la découverte du «bon» partenaire, celui qui rendra l'assouvissement possible, comme le bonheur du drogué dépend de la découverte du *dealer* qui lui vendra sa dose. Le drogué n'aime pas le *dealer*, il le hait souvent dès que celui-ci lui refuse sa dose. L'objet de son «amour», c'est la drogue.

L'«amoureuse» – dépendante affective – n'aime pas son amant, elle peut même le haïr si celui-ci menace de ne pas lui donner sa «dose» affective. L'objet de son amour, c'est d'être en couple. C'est la relation elle-même qui soulage son manque, pas le partenaire.

Une relation empreinte de dépendance affective n'est pas véritablement une relation d'amour. Elle est utilitaire; il s'agit d'atteindre un but prédéterminé, selon des modalités prédéterminées, au moyen d'une stratégie prédéterminée.

La dépendante affective se fixe un but, qui consiste à se marier ou vivre une relation stable; elle a une vision précise de l'homme idéal : petit/grand, blond/brun, élégant/sportif, artiste/homme d'affaires. C'est le questionnaire que font remplir les agences matrimoniales. «Quel genre d'homme/de femme recherchez-vous?» Elle adopte un comportement supposé permettre l'approche puis la «capture» du mari ou du partenaire. C'est le contenu principal de la presse pour les jeunes filles.

La relation est perçue comme fonctionnelle. Elle doit permettre d'atteindre un état figé, définitif. Elle n'est aucunement perçue comme une aventure incertaine, pouvant induire une évolution profonde chez soi et le partenaire. C'est une «relation fonctionnaire» productiviste et non une relation évolutive permettant une progression, un changement. L'énergie d'une telle relation devient peu à peu lourde, matérielle.

Les états émotionnels liés à une telle conception de la relation amoureuse révèlent clairement le véritable but poursuivi : l'assouvissement du manque d'amour au moyen du partenaire.

La fascination

La relation en elle-même est perçue comme seule possibilité de sortir du manque et d'accéder au bonheur en mettant fin à la souffrance de la solitude. Cet espoir peut être projeté sur le partenaire, qui devient alors *idéal*. Il est le Sauveur. Pour rationaliser le pouvoir qu'elle lui donne, la dépendante affective va le parer de toutes les vertus. Un peu comme lorsque l'on a très envie d'une automobile ou d'une maison : on lui trouve toutes les qualités. La découverte des défauts vient toujours après l'achat, alors que le plus souvent, ils eussent été visibles avant, moyennant un examen attentif. Celui-ci est malheureusement impossible en phase de fascination.

Les rituels d'approche et d'acquisition

En langage militaire, «acquérir une cible», c'est avoir connecté le système de poursuite électronique à la trace thermique ou magnétique de l'objet que l'on veut atteindre. Dès lors, le radar ne le lâchera plus. La dépendante affective «acquiert sa cible» et va chercher à l'atteindre en adoptant une stratégie efficace. C'est là l'«amour» que le chasseur a pour son gibier.

Ce désir d'obtenir de lui ce que l'on recherche (le soulagement de la faim dans un cas, celui du manque affectif dans l'autre) apparaît souvent comme un véritable souci de l'Autre. La dépendante affective «cherche à lui plaire», «est aux petits soins». Ce n'est qu'une apparence. Le véritable souci n'est pas la personne de l'aimé, mais bien le soulagement du manque.

Le chasseur lui aussi est «aux petits soins» pour le gibier. Il peut aller jusqu'à lui offrir une chèvre vivante, s'il traque le léopard. La chèvre n'est pas un véritable don, elle est un appât.

Il y a là un déni inconscient de la personne de l'Autre en ce que son désir n'est pas véritablement pris en compte.

Il y a là également un manque de respect pour soi-même puisque la dépendante affective «s'oublie elle-même» et «aime trop (!)». Elle accepte de se constituer un masque, de faire ce qu'elle imagine nécessaire pour obtenir du partenaire qu'il s'engage dans la relation, ce qui est le seul but des travaux de séduction.

Le besoin de soulager le manque est si fort qu'il amène la dépendante affective à oublier tous ses autres besoins : être reconnue pour ce qu'elle est (et non pour ce qu'elle «donne» d'elle-même comme appât), respecter ses propres besoins, *être elle-même*. Dans sa poursuite du soulagement, elle s'est elle-même *instrumentalisée*.

Son corps, sa personnalité sont devenus des appâts, des outils d'approche. En toute bonne foi, elle peut dire : «Je t'ai tout donné.» Effectivement, elle a tout abandonné de sa vérité dans la poursuite névrotique de son but, le soulagement du manque. Le chasseur, lui aussi, «donne tout» à son gibier. Pour lui plaire, il peut rester immobile des heures durant dans la neige ou sous un soleil de plomb, traverser des déserts, des montagnes, souffrir de la faim, etc. Mais est-ce là de l'amour?

La dépendante affective s'est perdue elle-même dans une voie sans issue. Elle «s'est sacrifiée». Mais nullement pour le bien de son partenaire. Tout simplement parce qu'elle a choisi un substitut inefficace à soulager son manque d'amour.

Il est une chanson de Jacques Brel (un grand dépendant affectif) qui me touche beaucoup, car elle restimule ma propre dépendance. Cette chanson est une supplique : «Ne me quitte pas.» Son but est de maintenir une relation de dépendance. Pour cela, le héros est prêt à «tout donner», même l'inimaginable, même l'impossible : «des perles de pluie d'un pays où il ne pleut pas», réveiller un «volcan que l'on croyait trop vieux», «faire pousser du blé sur des terres arides».

Magnifique chanson de l'amour-passion, de l'oubli de soi. *Ce n'est pas le partenaire qui y est considéré. C'est la terreur de retomber dans le manque.*

Conclure l'affaire

La chasseresse, ayant acquis la cible, ne la lâche plus. Elle attend que le gibier présente une faille, une faiblesse qui lui permettra de l'atteindre définitivement. Ainsi, le chasseur ne tire-t-il pas un ours polaire dans la tête, de face. Vu la forme du crâne, il aurait très peu de chance d'atteindre le cerveau. Il lui faut attendre que l'animal présente son épaule; il est alors très facile d'atteindre le cœur ou de l'immobiliser, ce qui permet un second tir, définitif. La dépendante affective attend donc l'«ouverture» afin d'obtenir ce qu'elle veut : l'engagement du partenaire dans une relation définitive, «pour toujours». Dès que cela est possible, elle conclut l'affaire, quitte à forcer un peu l'accord du futur conjoint.

Elle se marie donc. Mais ce qui est considéré là, ce n'est encore une fois que le but : le soulagement du manque. C'est cette obsession qui conduit à la fascination; la personne qu'est le partenaire n'est pas véritablement perçue dans sa réalité; elle est vue en tant que promesse de soulagement et de bonheur. Le couple est donc fondé sur une illusion, une absence de *réalité*. Et nous avons vu que cette absence de réalité conduit fatalement à un niveau de communication assez bas et à une affinité (intimité) réduite.

Le partenaire, lui, peut être un dépendant sexuel. Madame cherche la «sécurité affective», Monsieur cherche sa «dose» d'assouvissement sexuel. Il peut être également dépendant affectif, dans ce cas, quels beaux câlins! Dans la grande majorité des cas, les partenaires souffrent tous deux, à des degrés divers, de dépendance sexuelle et affective.

La chute

Un couple construit sur un *manque de réalité*, sur une illusion, s'avère forcément fragile dès que l'illusion se brise au contact de la *réalité* du quotidien. La dépendante affective découvre au bout de quelques semaines, mois ou années, la *réalité* du partenaire. *Ce n'est pas cet homme qu'elle a épousé et aimé*. C'est la promesse du soulagement.

Elle a cru avoir attrapé un beau chevreuil, mais au fond du piège, il n'y a qu'un varan immangeable! Elle a cru avoir trouvé un sac de cocaïne, hélas, c'est du talc et elle reste en manque. Elle doit alors confronter l'échec, la déception, le désespoir de ne plus savoir comment sortir du manque. Monsieur, de son côté, subit les mêmes épreuves.

Comme dans le cadre de la dépendance sexuelle, les dépendants affectifs ont tenté de se décharger sur l'Autre de la responsabilité de sortir de leur propre manque.

Ils ont recherché un *remède* à leur souffrance. Ils ont *instrumentalisé* l'autre être humain. C'est là toute la trahison. Un être humain ne peut être ainsi pris pour un cachet d'aspirine. Le «remède» n'apporte aucun soulagement ou bien un soulagement très temporaire qui ne dure que le temps de la fascination.

La frustration réapparaissant à nouveau va déclencher l'agressivité envers le partenaire et des reproches apparemment très fondés. Des aspects de sa personnalité deviendront insupportables, alors qu'ils étaient parfaitement connus avant le mariage. La violence s'installe dans le couple. Celui-ci peut exploser ou bien abaisser son niveau énergétique (moins d'affinité, moins de réalité et moins de communication) afin de rendre la relation purement matérialiste, les partenaires ayant abandonné l'espoir d'y trouver autre chose. Ou bien encore ils peuvent conclure des arrangements qui la rende supportable (Monsieur a des maîtresses, qu'il «aime bien»; Madame a des amis de cœur, avec qui elle fait parfois l'amour). Rares sont les couples qui entreprennent l'exploration de leurs illusions originelles et découvrent, après en avoir traversé toutes les couches, qu'ils sont *des êtres libres et indépendants, unis ici et maintenant dans leur recherche d'Amour et de Conscience.* Cela donne des couples humains, tout simplement, merveilleusement humains. Des couples en harmonie avec le sens de la vie, progressant ensemble vers l'Amour et la Conscience, chaque partenaire prenant la totale responsabilité de son propre bonheur, respectant ainsi absolument l'intégrité et la liberté de l'Autre.

Notons au passage que la souffrance qui imprègne les relations fondées sur l'illusion et la fascination ne fait que sanctionner une déviation par rapport au flux de la vie : le Sens. Nous avons déjà comparé la souffrance à la force électromagnétique du champ terrestre qui ramène l'aiguille de la boussole inlassablement vers le Nord. La souffrance au sein du couple signale que celui-ci est entaché d'une erreur essentielle, d'une erreur sur le Sens.

Tout a commencé avec la mère, qui instrumentalise son enfant, lui fait remplir un rôle soulageant son manque affectif à elle, l'adulte. Elle «a fait un enfant pour se sentir femme», pour «acquérir une identité», pour «devenir mère». Pour elle. Pas pour la vie en soi. Parfois, la mère a utilisé l'enfant comme otage. «Si tu n'arrêtes pas de me tromper, je divorce et pars avec les enfants.» Ou plus subtilement, elle a projeté sur l'enfant les souffrances que lui causait son mari. «Qu'est-ce que tu m'en as fait voir...» dira-t-elle plus tard. L'amour est alors perçu par l'enfant comme un *moyen d'obtenir quelque chose*. Les enfants sont les êtres les plus perspicaces au monde! Ils ressentent ces choses-là et parfois les expriment avec une franchise qui paraît très brutale à leurs parents. Ils en sont très souvent punis.

L'adulte ainsi éduqué se servira de son partenaire pour combler le manque créé dans l'enfance. Ce faisant, il répète très précisément le même scénario que celui que sa mère et son père lui ont fait subir. Freud appela ceci une «compulsion de répétition». Il ne faut pas y voir une fascination pour l'échec. Tout simplement, le dépendant sexuel ou affectif *ignore totalement* que l'amour peut s'exprimer, se ressentir, se vivre autrement. Il n'a pas eu de modèle sain auquel s'identifier. Personne ne lui a donné le véritable mode d'emploi. Sa référence à lui, c'est l'«amour» que lui ont donné ses parents. Il reprendra leurs procédures *puisque sa réalité à lui s'est bâtie sur cet apprentissage-là*. Pour lui, l'amour réel sera l'amour-dépendance. «L'amour? Quoi, un amour sans passion, sans jalousie, sans un peu de tourments et de cris? Mais ce n'est pas de l'amour, ça. Ça n'existe pas!»

Effectivement, ce n'est pas de l'«amour». C'est de l'Amour. Et cela existe, mais pas dans la réalité – l'univers mental – de cette personne. La souffrance qui paraît inévitable dans la relation amoureuse est le signe que sa conception de l'amour s'écarte du Sens.

Revenir dans le flux de la vie nécessite une profonde remise en cause. *C'est soi-même qu'il faut changer. Pas le partenaire!*

La manipulation

L'obsession de la relation étant la caractéristique de la dépendante affective, il est naturel qu'elle ait développé les qualités nécessaires à l'établissement des contacts humains. De même, au début de son évolution, le dépendant sexuel est souvent un bon amant. La dépendante affective, lorsqu'elle tente d'établir une relation de couple, est une redoutable séductrice et une communicatrice-experte. Que les échecs viennent ensuite détériorer ces qualités est un fait. Cependant, elles existent bien, en général durant la première période de la sexualité active jusqu'à la quarantaine. Ensuite, elles s'épuisent.

La dépendante affective sait écouter, être présente, attentionnée, imaginer ce qui plaira à son partenaire, exciter son désir. Toutes qualités utiles à atteindre son but : l'assouvissement par la relation.

Ces techniques relationnelles sont mises en œuvre pour obtenir du partenaire qu'il s'engage dans la relation et qu'il y reste, comblant ainsi le manque affectif. Mais ce savoir-faire est avant tout destiné à occulter une angoisse, celle de se retrouver seule et de replonger dans le manque. Ce qui constitue l'énergie de l'«amour» dépendant relationnel est la terreur de la solitude. Même si la relation s'avère décevante, la dépendante relationnelle s'efforcera de la maintenir, quitte à se nier soi-même, s'avilir, se mutiler émotionnellement.

Ainsi, sa capacité à «se faire des amis et influencer les autres» a-t-elle abouti à ce résultat : ne pas se respecter afin de conserver la relation. Toute l'énergie de la personne dépendante s'investit dans l'*évitement* de la peur de la solitude. C'est l'«angoisse d'abandon».

Cette peur de la solitude est l'expression de l'angoisse provoquée par la perte de contact avec l'Amour et la Conscience. C'est le refoulement de la peur/haine primordiale qui est, comme nous l'avons vu, à l'origine de l'incapacité de percevoir l'Amour-Conscience.

La dépendance relationnelle, comme la dépendance sexuelle, constitue une stratégie d'évitement de la peur/haine. Elle contribue à maintenir le refoulement de l'angoisse de la séparation d'avec le Tout.

Finalement, cet «amour» n'a qu'un seul véritable but : permettre de continuer à ne pas confronter le manque d'Amour, ne pas confronter sa nature d'être spirituel et les responsabilités qui s'y rattachent, tout en essayant d'apaiser la souffrance du manque qui suinte jusqu'au conscient.

Cet «amour» est donc de l'anti-Amour, un empêchement à aimer et à se laisser aimer.

La dépendante relationnelle manipule son amant en lui offrant l'appât qu'il demande. Elle tente de lui faire faire ce qu'elle veut; elle adopte la conduite idoine supposée combler le manque affectif. Mais elle n'exprime elle-même jamais la véritable nature de ce manque ni ses véritables besoins dont elle reste inconsciente et inassouvie. En fait, c'est elle-même qu'elle manipule. Elle s'enfonce encore plus profondément dans l'inconscience, tournant le dos à l'Amour-Conscience.

La jalousie

La jalousie, c'est le constat de l'échec. C'est la peur de perdre l'être aimé, la peur d'être indigne d'amour.

En effet, pour le dépendant affectif ou sexuel, l'assouvissement du manque est entièrement dépendant de la perpétuation de la relation. La jalousie est la peur de perdre le soulagement du manque. Le (ou la) dépendant(e) pense que son assouvissement *dépend* de l'Autre et non de lui-même. Dès lors, il existe toujours la possibilité que l'Autre parte, meure ou en aime un(e) autre. Cette peur interdit la jouissance de la relation, c'est là l'échec. La relation dépendante s'avère impuissante à véritablement combler le manque, car elle n'apportera jamais la sécurité absolue. Le fantasme de la dépendante affective s'appelle «pour toujours». Elle voudrait une relation inscrite dans l'éternité. Une relation définitive et figée. Pourtant, la vie est un flux; elle est évolution. C'est cette évolution inéluctable qui terrorise le jaloux (ou la jalouse); il doit reconnaître que la vie est un flux. *Il a peur de perdre, car il a peur d'évoluer.*

Comment pourrait-il jouir pleinement de ce qui peut lui être enlevé d'un moment à l'autre? La personne jalouse ne vit pas entièrement dans le plaisir de l'instant présent puisqu'elle porte en permanence une partie de son attention sur un avenir menaçant. En fait, une partie d'elle-même vit dans l'échec annoncé de la relation.

Cette peur est une angoisse et devient une obsession. Nous avons vu que l'angoisse est une «étroiture» *(angusta)*, l'inhibition du libre flux énergétique. Nous avons également entr'aperçu le fait que la sensation de plaisir provient de la libre circulation des énergies : c'est le plaisir physique de l'amour, du sport, de la danse, du chant. Une personne angoissée ne peut donc jouir. Elle ne peut jouir physiquement; elle ne peut jouir du plaisir présent de la relation.

Pourtant, son désir d'une relation est submergeant, «absolu»; c'est là précisément l'origine de sa dépendance. Ce désir rencontrera la frustration, puisque l'angoisse de l'abandon, de la trahison, la jalousie, interdiront toute jouissance et toute satiété. Il se transformera donc en une obsession, de plus en plus prégnante au fur et à mesure de l'accumulation des échecs qui sont, en effet, certains.

Pourquoi l'échec relationnel de la personne jalouse est-il certain?

Cela tient à la nature même du plaisir : une libre circulation des flux énergétiques. Une évolution vers le Sens.

Toute déviation ou toute opposition au flux vital, nous l'avons vu, provoque l'apparition de la souffrance. Or la personne jalouse tente en permanence de contrôler l'Autre. De canaliser à son profit le flux vital qui l'anime.

D'une part, son angoisse lui interdit, à elle, l'accès au plaisir; d'autre part, sa jalousie, manifestation de son angoisse, générera de la souffrance chez le partenaire.

Il s'agit d'un choix à effectuer entre *pouvoir* et *plaisir*. Soit il y a tentative de contrôler l'Autre afin d'apaiser l'angoisse d'abandon, soit il y a «lâcher-prise» et les partenaires admettent que leur relation *peut ne pas durer toujours*, qu'elle est vivante.

Cela ne signifie aucunement que la sexualité avec plusieurs partenaires soit une panacée ou bien représente un idéal. La seule chose qui doive être abandonnée, après en avoir pris conscience, c'est l'*angoisse qui génère la jalousie*.

Vivre – enfin! – l'amour au présent. Jouir de la relation telle qu'elle est. Vivre «ici et maintenant» et non dans la crainte d'une perte future.

Cela ne sera possible que si la personne dépendante relationnelle prend conscience :

• du manque d'amour qui l'habite;

• qu'elle seule peut combler ce manque;

• que le partenaire ne le peut en aucun cas,

• mais qu'il peut l'aider dans sa progression vers l'Amour;

• que c'est là le véritable sens de la relation amoureuse;

• que la peur interdit l'Amour, bien sûr, mais aussi l'amour et la jouissance;

• que le contrôle sur l'Autre signifie le pouvoir sur l'Autre;

• que le pouvoir s'oppose au plaisir.

Pouvoir et plaisir

Le pouvoir est un inhibiteur du plaisir, car le plaisir apparaît dans la liberté des flux et le pouvoir consiste à contrôler les flux.

On perçoit bien intuitivement le plaisir que l'on éprouve à se baigner dans un torrent et sentir l'eau couler sur sa peau. On éprouve la sensation du libre flux de l'énergie qui anime l'eau.

On sait également que cette énergie, une fois canalisée et forcée à travers une turbine produit de la puissance électrique, dotée d'un certain pouvoir.

De même le vent, si agréable à ressentir, et qui, canalisé, produit la puissance qui fait tourner les meules de pierre du moulin.

Le plaisir ne peut subsister là où intervient une volonté de pouvoir, de contrôler, de diriger un flux dans une direction qui ne lui est pas naturelle.

Ainsi, toute relation entre deux êtres vivants est elle-même vivante. Elle est un flux créateur de plaisir. Elle est évolutive. L'angoisse de la personne dépendante relationnelle est de voir celle-ci évoluer; elle tente donc de la figer, d'en contrôler le flux.

Elle la tue en lui interdisant toute évolution. Elle tue le plaisir en essayant de diriger le flux vital qui anime la relation.

Sa jalousie est une peur qu'elle tente de soulager par du contrôle; cela que l'on contrôle totalement ne peut nous échapper. Ainsi un chien bien dressé; son comportement est prévisible. La peur est donc moins grande de le voir évoluer librement et de le perdre, s'il décide de s'en aller.

Cependant, le rapport ainsi instauré est un rapport de pouvoir et non de plaisir. Le couple devient un champ de bataille et non le chant de l'Amour. La relation est figée, dure, cassante et non évolutive, souple et vivante. La durée de vie d'une relation figée est, on le comprend aisément, plus courte que celle d'une relation vivante. C'est pourquoi plus de la moitié des couples divorcent et nombreux sont ceux qui se perpétuent sans aucune relation de plaisir véritable, par pur confort matériel ou par conformisme. À couple mort, partenaires morts. Ils sont de bons consommateurs d'alcool, de tabac, de nourritures surabondantes, de télévision, de divertissements passifs. Ils soulagent leur manque d'amour par la course à l'argent, dans le travail, et certains tentent d'oublier leur «angoisse de manquer» dans la course au pouvoir, le contrôle des Autres, perçus comme pouvant nous infliger la souffrance de ne pas nous aimer.

Pourquoi une stratégie aussi néfaste est-elle adoptée par des personnes dont le mental fonctionne apparemment si bien? Certes, on peut dire qu'elles s'égarent faute de disposer d'une sensibilité, d'une «intelligence du cœur», qui leur permettrait de ressentir lesquelles de leurs actions sont causes de souffrance.

Mais pourquoi leur mental, qui peut être brillant et efficace dans leur vie professionnelle, provoque-t-il un tel gâchis dans leur vie privée?

Tout simplement parce qu'une partie du mental, celle liée aux affects, est «réactive». Elle réagit en fonction du codage inscrit par l'éducation donnée par les parents. C'est la *réalité* de chaque individu.

Nous ne percevons pas le réel. Nous percevons notre réalité individuelle, construite à partir d'une grille de lecture mise en place par l'éducation.

Pour aimer quelqu'un, se sentir proche de lui, il est nécessaire de procéder à une sorte d'«éducation» mutuelle, de connaître la réalité de notre partenaire puis de construire une réalité commune, afin que cela qui nous semble réel le soit également pour lui. Sinon aucune communication n'est possible; d'où fort peu d'amour.

Or les parents utilisent le *pouvoir* sur leurs enfants afin de les *contrôler*. Ils le font sous des prétextes divers («C'est pour ton bien.»), mais, fondamentalement, dans leur intérêt à eux, parents : soulager le manque affectif, ne pas être seuls, acquérir une identité sociale, obtenir l'obéissance.

Tout exercice de pouvoir coercitif a pour effet de détruire la vitalité de l'enfant et de nier son individualité, son existence en tant qu'*être*, «parcelle» de Conscience et d'Amour.

Étouffer l'expression d'un enfant sous prétexte que son niveau énergétique est trop élevé, lui refuser le droit de protester, c'est le condamner à devoir *refouler* son énergie, donc, c'est détruire son plaisir.

C'est pourtant ce modèle comportemental-là représentant l'«amour» que l'enfant a introjecté et qu'il utilise une fois adulte. C'est sa *réalité;* il n'en connaît pas d'autre. Pour lui, «amour = contrôle!».

Et de plus, «refoulement = condition d'accès à l'amour parental»! Aberrant? En effet, le mental réactif *est aberré.* C'est pour cela que nos comportements le sont. Et plus on progresse vers la Conscience, plus on découvre, comme le disait Gurdjieff, un maître original et un peu fou (mais nullement aberré!), l'«horreur de la situation».

La jalousie tue l'amour aussi sûrement que le mensonge et la trahison. Nous sommes tous peu ou prou jaloux et donc malheureux... Nous sommes aberrés!

La seule façon d'éduquer un enfant devrait être d'assurer sa sécurité dans la zone où il vit en aménageant cet espace (et non en contrôlant l'enfant); en obtenant son accord (et non en le forçant à l'obéissance); en lui permettant d'exprimer son désaccord (et non en le giflant); *en le respectant et le laissant libre d'être lui-même.*

La seule façon d'aimer un conjoint devrait être de nouer une relation en respectant la réalité du partenaire (et non pour soulager sa peur de la solitude); en obtenant son accord (et non en tentant de le manipuler ou de le contrôler); en lui permettant d'exprimer son désaccord (sans se sentir effondré, coupable, paniqué à l'idée de le perdre et lui faire payer en retour cette souffrance); *en le respectant et le laissant libre d'être lui-même.*

Il n'est d'Amour que libre. Tout rapport de force tue l'Amour.

Harmonie et bonheur

L'harmonie, c'est le libre jeu des flux qui composent une relation. Partout où ce libre jeu est perturbé, un «tourbillon» apparaît : c'est le conflit et la souffrance.

La vie a un sens. Un tropisme : aller vers plus de Conscience et d'Amour au travers des expériences acquises dans le monde matériel. *Incarner l'Amour et la Conscience.*

Empêcher un enfant *d'être*, au moyen du contrôle, du pouvoir et de la violence, c'est perturber le flux vital. L'enfant «apprendra» que l'amour équivaut au contrôle, au pouvoir et à la violence.

Se servir de son enfant comme d'un moyen pour assouvir ses besoins d'adulte, c'est l'instrumentaliser, en faire un objet. L'enfant apprendra que l'amour équivaut à posséder l'objet aimé. C'est là la trahison des parents.

Devenu adulte, il appliquera les «leçons» qui ont construit sa réalité. Il possédera l'objet aimé, le contrôlera au moyen de la manipulation et parfois de la violence. Se percevant lui-même en tant qu'objet, il dépendra de la relation sexuelle ou de la relation de couple pour se sentir exister. Il se servira de l'Autre. C'est là la trahison des amants.

Le rôle sacré des parents est de lancer dans le flux de la vie des êtres sensibles et libres, susceptibles de progresser vers l'Amour et la Conscience.

Le rôle sacré des amants est de s'entraider à progresser vers l'Amour et la Conscience.

Avons-nous rempli notre rôle de parents?

Avons-nous rempli notre rôle d'amant?

Si oui, nous allons vers le bonheur, car nous aurons bâti l'harmonie du monde. Sinon, nous allons vers la souffrance, car nous aurons détruit l'harmonie du monde.

S'aimer sans dépendre de l'Autre

Comment respecter l'harmonie du monde dans les relations du couple?

Cela qui *est*, par définition, est harmonie.

Pour être harmonie, il faut et il suffit d'*être*.

Être soi-même, sans refoulement.

Être soi-même nécessite :

- De nous connaître nous-même, d'être en contact avec notre propre réalité, de percevoir ce qui est *vrai* pour nous et ce qui appartient à notre personnalité «artificielle», à notre conformisme, aux idées que nous ont inculquées nos parents et qui ne sont désormais plus les nôtres. *Savoir ce qui est réel pour nous.*

- Pour cela, il est impératif de *communiquer* avec soi-même, d'accepter de ressentir toutes nos émotions. De laisser s'établir le contact entre l'inconscient (ce qui est refoulé, d'après la définition même de Freud) et le conscient. D'aller vers plus de Conscience. C'est la *communication* avec soi-même, la sortie du refoulement.

- Accepter de ressentir ce que nous ressentons sans nous condamner, c'est accepter d'être proche de nous-même, d'éprouver de la tendresse, une grande *affinité* pour nous-même, tel que nous sommes et non tel que l'éducation reçue de nos parents voudrait que nous soyons. Nous ne sommes ni aussi parfait, ni aussi beau, ni aussi intelligent qu'il l'eut fallu pour plaire totalement à nos parents, qui eurent pour nous les plus hautes des espérances, car ils voulaient rattraper leur propre insatisfaction par rapport à l'image qu'ils avaient d'eux-mêmes.

Cela, c'est l'Amour que nous avons pour nous-même. Être, c'est être soi-même, s'accepter soi-même. C'est avoir du respect pour soi-même; c'est également communiquer avec soi-même. *Finalement, être, c'est s'aimer soi-même, tel que l'on est. S'aimer sans dépendre du regard de l'Autre. Être libre.*

Analyse transactionnelle et amour de soi

L'analyse transactionnelle propose une lecture de l'être humain issue de la psychanalyse qui s'avère très pertinente et efficace. Elle postule que l'enfant émerge de l'indifférencié, d'une totale spontanéité, et doit, afin de se structurer, condition de sa survie dans le monde matériel, adopter les structures mentales de ses parents. Il acquerra l'indépendance lorsqu'il aura remis en question ces structures par l'utilisation de sa conscience; il aura alors sa propre *réalité* et ne vivra plus dans celle de ses parents.

Il est d'usage de visualiser cette théorie de la façon suivante :

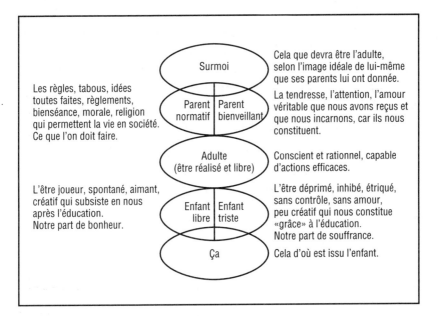

Les règles, tabous, idées toutes faites, règlements, bienséance, morale, religion qui permettent la vie en société. Ce que l'on doit faire.

L'être joueur, spontané, aimant, créatif qui subsiste en nous après l'éducation. Notre part de bonheur.

Surmoi

Parent normatif | Parent bienveillant

Adulte (être réalisé et libre)

Enfant libre | Enfant triste

Ça

Cela que devra être l'adulte, selon l'image idéale de lui-même que ses parents lui ont donnée.

La tendresse, l'attention, l'amour véritable que nous avons reçus et que nous incarnons, car ils nous constituent.

Conscient et rationnel, capable d'actions efficaces.

L'être déprimé, inhibé, étriqué, sans contrôle, sans amour, peu créatif qui nous constitue «grâce» à l'éducation. Notre part de souffrance.

Cela d'où est issu l'enfant.

S'aimer soi-même, c'est permettre à notre enfant libre de s'exprimer. Par exemple, j'adore aller à Eurodisney – un immense parc d'attraction américain proche de Paris –, ce qui désespère mes amis intellectuels, chercheurs hautement considérés qui ne peuvent admettre que je prenne un plaisir entier à me promener dans une sorte de barque à regarder des poupées représentant des peuples du monde entier (selon la vision Walt disneysienne assez spéciale) et mimant une chanson, mignonne certes, mais assez «gnangnan». Moi, j'adore! Je suis aux anges! Je suis en contact avec mon *enfant libre* qui rit dans les wagonnets de la mine d'Indiana Jones; admire les spectres holographiques de la maison hantée et va faire un tour sur le lac, façon «Rocky Mountains» dans un grand bateau à aubes du Mississipi.

Mon *parent normatif* a beau me démontrer que tout cela est une entreprise commerciale artificielle, «cheval de Troie de l'impérialisme culturel américain», mon *parent bienveillant* me dit : «Va, amuse-toi, console ton enfant triste qui a tant besoin de recevoir l'amusement qu'il n'a pas reçu.»

Du coup, je reprends un tour de manège enchanté! *L'adulte* en moi sourit. Amusé, jamais cependant il n'est balayé par l'excitation. Il sent que cela est bon pour l'enfant, en perçoit la part de tristesse qui l'empêche d'accomplir sa croissance, de lâcher prise, d'accepter de mourir en tant que chenille-enfant, pour devenir, par la vertu de l'alchimie de la conscience, un papillon adulte, libéré des peurs de l'enfant et des étroitesses d'esprit du parent normatif.

Jouer peut parfois constituer un moyen d'aller vers la Conscience. Alors, je m'aime. M'aimant, je n'ai plus peur d'aimer et de me laisser aimer.

Considérons ce qui se passe dans le couple dépendant.

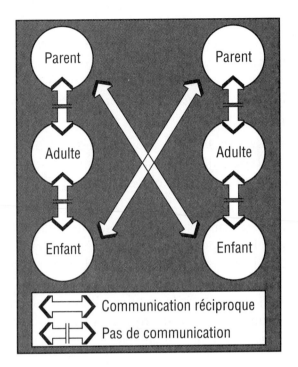

Les deux partenaires n'ont pas conscience qu'ils souffrent du manque d'amour, legs de leur éducation. Leur «enfant» ne communique pas avec leur «adulte». Ils n'ont pas conscience non plus de leur carcan mental, les «il faut que», les «je/tu dois» qui façonnent leur pensée. Leur «parent» ne communique pas non plus avec leur «adulte». Celui-ci est, de ce fait, plongé dans l'obscurité faute d'informations; il ne peut agir efficacement.

Les amants ne communiquent qu'à travers les parties d'eux-mêmes qui sont actives : «parent» et «enfant». Ainsi, l'enfant triste demandera au parent bienveillant du partenaire de combler son manque sexuel ou affectif. Celui-ci peut répondre «Tu ne penses qu'à ça» (parent normatif) ou bien «Mais oui, mon petit lapin» (parent bienveillant). La communication du couple n'est pas une communication d'adulte conscient à adulte conscient. Elle évolue dans les inconscients des «enfants» et des «parents».

En fait, le jeu est un peu plus complexe. La partie «parent normatif» condamne l'enfant libre et l'enfant triste d'être ce qu'ils sont : trop libres («Tiens-toi tranquille, cela ne se fait pas.») et trop tristes («Un peu de nerfs, nom de Dieu!»). *La faute majeure dont nous nous accusons tous, c'est d'exister tels que nous sommes.*

Jugeant ses «enfants» peu présentables, la partie «parent normatif» va tenter de se construire un *masque*. De ne pas se montrer telle qu'elle est, car elle en a honte; elle ne s'aime pas elle-même.

Comme elle ne s'aime pas elle-même, elle ne peut pas croire que son partenaire peut l'aimer telle qu'elle est. Elle va se façonner une personnalité artificielle, donnant l'image (sans aucune réalité) de ce qu'elle imagine que son partenaire demande, puisqu'elle veut le séduire. Bien sûr, elle *imagine* les attentes de son partenaire en fonction de sa réalité à elle et non celles du partenaire qu'elle ne peut connaître, faute de communiquer véritablement avec lui.

Son imagination va lui faire adopter une personnalité factice assez proche des qualités qu'elle pense être attractives pour le partenaire et dont elle estime manquer.

Elle va porter un masque qui interdit à son partenaire de la connaître vraiment. Ce faisant, elle ne sera pas sincère et ne pourra s'exprimer librement, puisqu'elle joue un rôle. Ce «mensonge» nuira gravement à la qualité de leur communication.

On peut dire que dans le couple dépendant, les partenaires se donnent mutuellement ce dont ils pensent manquer eux-mêmes! Un peu tordu, non? Les partenaires se donnent mutuellement leurs manques au travers de leurs «masques». Ce qu'ils reçoivent est donc du mensonge et du manque! Ils refusent à juste titre cet «amour» empoisonné. Ce sont leurs propres manques qu'ils veulent combler, et non porter la charge du manque de l'autre. Ils ont déjà donné, en tant qu'enfant, avec leur mère et leur père!

Le «masque», en nous empêchant de nous présenter tels que nous sommes à notre partenaire, nous empêche d'établir toute réalité commune et toute communication sincère. C'est la fin de l'intimité et de la relation.

Visualisons cela :

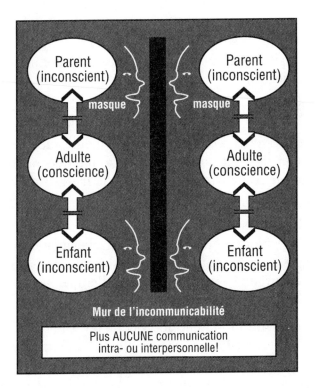

Ce schéma nous permet de ressentir à quel point le couple dépendant constitue en fait la juxtaposition sans communication de deux solitudes, de deux manques, de deux frustrations et de deux masques.

Qui dit frustration, dit violence! Qui dit manque, dit mensonge. Tout cela, parce que les partenaires ont voulu acquérir l'amour et l'attention de l'Autre en se présentant autrement qu'ils ne sont. *Ils ne s'aiment pas eux-mêmes. Ils ne pourront être aimés dans le mensonge et la violence! Ils ne pourront ni aimer ni se laisser aimer.*

Les projections

Nous venons de constater que la pseudo-communication au sein du couple dépendant se réalise entre les masques que portent inconsciemment les deux partenaires afin, croient-ils, de pouvoir être aimé par l'autre.

Eux-mêmes ne s'accordent pas d'amour et ne peuvent croire qu'ils soient dignes d'être aimés tels qu'ils sont, sans masque. Cependant, il existe un autre type de pseudo-communication : c'est la projection.

La grande affaire de la relation de couple, c'est l'assouvissement du manque. Celui-ci étant maintenu inconscient par le refoulement, cette recherche est elle-même plongée dans la confusion et ne peut aboutir. La personne dépendante affective attend de son partenaire la fin de la frustration et celle-ci ne vient pas.

En fait, l'assouvissement du manque ne pourrait être réalisé que par la personne elle-même. C'est elle-même qui devrait accepter les aspects tristes, faibles, coléreux, agressifs, pervers de son enfant intérieur, tout ce qui l'empêche de ressentir l'Amour et en guérir.

Pour cela, il faudrait qu'elle accepte de lever le refoulement et ressente, par exemple, la rage terrible de l'enfant de quatre ans qui hurle dans son lit parce que sa mère l'a «abandonné», lui préférant la compagnie du père. Mais voilà, ce n'est pas la mère qui vient, aimante et trouvant le moyen de distraire l'attention de l'enfant, de le rassurer. C'est le père. Et le père frappe pour faire taire l'enfant!

C'est ce type de drame (tiré d'une expérience réelle) qu'il faudra bien accepter de revivre. Accepter la haine qui envahit alors l'enfant. Accepter sa terreur folle que la porte ne s'ouvre encore, pour être battu, encore. Accepter que les coups du père ne furent pas des coups paternels, mais bien l'expression de la névrose d'un homme. Accepter le fait que la mère ne vint pas protéger son enfant et l'abandonna aux coups du père.

Accepter que cela fut ainsi. Alors, l'enfant battu pourra, de nouveau, dire oui à ce qui fut. Dire oui à la vie. Dire oui à l'Amour.

Ce n'est pas cela qui se passe généralement. L'enfant battu attend que son partenaire le soulage de cette problématique dont il ignore la teneur exacte. S'il la connaissait, cela signifierait que le refoulement est en cours d'être levé et la guérison serait en vue.

La personne dépendante refuse d'accomplir sa tâche sacrée : aller vers plus de Conscience. Elle *se décharge inconsciemment de* cette mission sur son partenaire. Elle attend de la relation qu'elle «fasse le travail pour elle». Et ça ne marche pas! Cela ne peut pas marcher. En aucun cas. D'où la frustration et la violence; le reproche fait au partenaire de n'avoir su réaliser l'impossible, de n'avoir pu donner ce qui n'existe pas.

«Tu es trop ceci», «tu n'es pas assez cela.» Ces reproches signifient que le partenaire n'accomplit pas la tâche que la dépendante affective lui a inconsciemment confiée : il ne la guérit pas de sa névrose.

Par exemple, si sa névrose à elle est d'être désirée physiquement, d'être regardée et que son corps soit admiré, elle va attendre cela de son partenaire. Mais sans en être vraiment consciente et donc sans jamais exprimer clairement son désir.

Celui-ci ne sera jamais comblé. D'où la frustration. D'où l'accroissement et la persistance de ce désir. D'où l'obsession. Cette femme va bientôt avoir un phallus dans la tête. Mais un phallus honteux, secret, caché, inconscient.

Cela va peu à peu constituer sa *réalité*. Tout ce qu'elle verra, toutes ses relations seront empreintes de ce désir inassouvi.

Son partenaire, à l'origine de la restimulation de la frustration, va, pour elle, *incarner sa problématique*. Il va la lui présenter par sa simple présence. Tout naturellement, elle en tirera l'«évidence» suivante : «Tu es un sexe ambulant.», «Tous les hommes sont des obsédés.», «Tu ne penses qu'à ça.», puisque la sensation qui lui viendra chaque fois qu'elle apercevra cet homme sera la présence du phallus en elle, la restimulation de son manque.

De même, si le problème de l'homme est l'enfermement, il va accuser sa femme d'être très possessive et de vouloir l'emprisonner. Sans égard pour la réalité. Cela peut s'avérer exact ou non, peu importe. Pour lui, seule sa réalité intérieure est réelle.

Inscrite au plus profond de son inconscient, elle édicte que «Toutes les femmes me boufferont comme ma mère m'a dévoré.» Chaque fois qu'il verra sa femme, le système se mettra en marche «Ma femme me bouffe.» C'est un automatisme.

Pour le mental, A = A, B = B. Si une situation présente une analogie, même vague, avec une situation traumatique antérieure, alors elle provoque la même réaction. Ici on a un cas classique : «Toute femme = mère = castratrice.»

Ce mécanisme explique pourquoi chaque conjoint accuse l'autre d'être porteur du défaut dont il se juge lui-même atteint et dont il se sent coupable. Ainsi, le tricheur suspecte son entourage de lui mentir, le violent refoulé a peur de la violence des autres, etc.

Tout simplement, *ce qui est réel pour un individu, c'est sa réalité à lui*, c'est-à-dire son mode de décodage personnel, inconscient, maintenu en place par le refoulement.

Nous ne percevons pas le réel. Nous percevons notre *réalité* névrotique. Et nous la rendons «rationnelle» en chargeant l'Autre de l'incarner.

Le couple constitue le lieu où les partenaires se donnent ce qu'ils n'ont pas (leur manque) et dont l'Autre ne veut pas, il constitue aussi le lieu où les partenaires se reprochent mutuellement d'être ce qu'eux-mêmes voudraient ne pas être!

Si vous ne comprenez pas vraiment cette phrase, cela me semble assez naturel. C'est de l'irréalité pure. Du fantasme. Un empilement d'inconscients refoulés!

Comme le dit le chanteur Higelin : «Devant tant de malentendus, les Diables en viennent à douter d'eux-mêmes.» Il faut imaginer Dieu le Père, assis sur son nuage blanc, tout là-haut, arracher ce qui lui reste de barbe devant cet affligeant sac de nœuds (affectifs!) et se demander où se situe l'erreur.

Nous pouvons le lui dire! Elle se situe dans le refoulement de la haine primordiale qui, en interdisant toute communication entre «parent» – «adulte» – «enfant» fait de l'individu un mystère pour lui-même, chargeant un autre aveugle mystérieux de l'éclairer. Il se retrouve plongé dans la plus extrême des confusions dont il accuse l'autre.

Voici toute l'étendue du désastre. *Est-il possible d'aimer? Oui, il suffit de lever le refoulement!*

Cinquième partie

CONSTRUIRE UNE RELATION AMOUREUSE

Chapitre XIII

Amour et conscience de soi

Il est une évidence à laquelle peu de gens prêtent une suffisante attention. Aimer, c'est être proche de l'être aimé.

Il y a moi et l'Autre, et la distance qui nous sépare est très réduite. Pour cela, il nous faut savoir *où nous sommes!* Si nous n'avons pas conscience de nous-mêmes, nous ne pouvons nous situer et nous reconnaître dans notre relation avec l'Autre. «Je ne sais plus où j'en suis.»

L'amour que nous sommes capables de donner et de recevoir dépend de la conscience que nous avons de nous-mêmes. En fait, cela nous le savions déjà sous sa forme absolue, l'*Amour est la Conscience*.

Avoir conscience de soi, c'est se connaître soi-même, sentir son individualité, son Moi, savoir ce que nous voulons dans la vie, ressentir si notre partenaire nous fait plaisir ou nous cause de la douleur, connaître nos valeurs et nos priorités.

Deux processus interviennent dans la perception du Moi, dans la sensation que nous avons d'exister : la sensation et la pensée.

La sensation est ce qui nous fait percevoir notre existence incarnée, le fait que nous sommes aussi un corps physique, la partie matérielle de notre être. Nous existons, donc nous sentons. Nous n'avons conscience d'exister que dans la mesure où nous percevons des sensations.

Nous avons déjà évoqué le fait qu'une personne qui ne verrait rien, n'entendrait pas, serait dépourvue du sens du toucher, de l'odorat et du goût, cette personne n'aurait pas conscience d'exister en tant qu'être incarné dans un corps; elle ne vivrait pas.

La sensation fonde notre sentiment d'exister. Nous avons déjà abondamment démontré comment le refoulement, en inhibant la perception des sensations et des émotions, sape à sa base toute capacité à ressentir. *Le refoulement inhibe donc notre sensation d'exister.*

Le processus complémentaire, indispensable lui aussi au sentiment d'exister et à la constitution du Moi, est la pensée.

À l'inverse de la sensation, la pensée n'a pas de fondement direct dans le réel matériel. Elle est un pur jeu d'énergies subtiles, sans guère de rapport avec les lois qui régissent la matière.

Imaginez un château fort complet avec tourelles, créneaux, douves et machicoulis. C'est un objet fort pesant, non? Posez-le, toujours en pensée, sur votre pèse-personne et regardez le mouvement de l'aiguille. Rien, pas de mouvement! La pensée se situe hors du réel matériel. On peut dire qu'elle est *irréelle*.

La pensée n'existe qu'en fonction de la sensation. C'est cela qui la relie au réel incarné et la rend susceptible d'agir sur la matière. *Si la pensée est une représentation du réel, c'est parce qu'elle est produite par la sensation, donc par le corps.*

Si vous percevez mal vos sensations et votre corps, votre pensée ne sera pas fondée sur le réel, elle sera névrotique, fantasmatique, irréelle. Elle sera empreinte du refoulement de vos sensations et de la souffrance qui en découle.

Comme votre pensée constitue votre façon de voir le monde, elle construit votre réalité. Une pensée basée sur le refoulement et la souffrance construira une réalité empreinte de souffrance.

Refoulement et souffrance sont deux énergies dont les polarités sont opposées au sens de la vie (c'est même leur définition exacte). Or l'Amour, c'est la vie. Aimer à partir d'une représentation de la vie empreinte de souffrance est une pure vue de l'esprit. C'est un jeu du mental : une irréalité.

Mais pire encore. Si votre Moi dépend de la conjonction entre votre pensée et vos sensations, le refoulement vous interdira d'avoir un «Moi» affirmé. *Vous ne vous sentirez pas exister véritablement, faute de ressentir.*

Il y aura bien vaguement un corps et des désirs, mais personne ne sera aux commandes afin d'assouvir les besoins, puisque le Moi sera trop faible pour organiser les actions qui le permettraient.

Vous ne saurez pas *qui* vous êtes; vous ne saurez plus *où* vous êtes. Vous ne serez plus que désirs inassouvis sans le substrat matériel et la puissance qui vous permettraient de les combler. Il faut ressentir son corps afin de pouvoir assouvir ses désirs; cela semble évident. *Les désirs ont une réalité physique et non seulement mentale.* Pour un être incarné, le désir d'amour s'assouvit dans une réalité matérielle, à travers le corps.

Si vous êtes désincarné (on dit en psychiatrie «dépersonnalisé»), si vous vous sentez «vide», «peu existant», alors vous ne pourrez pleinement aimer. Pour aimer, il faut avoir retrouvé le ressenti corporel, les sensations et la maîtrise de son mental. Pour aimer, il faut avoir reconstruit son Moi : savoir *qui* et *où* l'on est.

Tous les substituts à l'amour ne sont que des tentatives d'éviter ce travail de constitution d'un Moi solide, car ce travail suppose de confronter l'ensemble des souffrances qui nous ont amenés peu à peu à nous couper de nos sensations. Nous ne pouvons aimer véritablement sans un Moi conscient de lui-même, puisque nous sommes une «conscience consciente d'être consciente». Le refoulement nous pousse vers l'inconscience, donc dans l'incapacité à aimer, puisque l'Amour est Conscience.

Sortir de l'inconscience, c'est affronter la souffrance, la voir, l'accepter, s'en libérer. Une rude tâche!

C'est la mission de l'incarnation que d'aller vers la Conscience. Et donc vers l'Amour. Il faut du courage.

Le Moi et l'amour

Comment se construire un Moi conscient de lui-même? Dans la vie courante, nous pouvons travailler à atteindre un Moi conscient par la pensée et la sensation.

Nous avons vu que le Moi et le Réel sont construits par une représentation mentale exacte des sensations librement perçues. C'est ce processus que Gurdjief, le Maître spirituel dont j'ai déjà parlé, appelait le *«rappel de soi»*. Ce travail consiste à se «rappeler à soi-même», à prendre conscience, le plus souvent possible, des sensations que nous éprouvons au lieu de les refouler.

Si nous pratiquons cet exercice de «rappel de soi», nous nous apercevons que nous vivons la plus grande partie de notre vie dans une semi-inconscience.

Essayez, ne serait-ce que quelques heures, d'être totalement présent à vous-même. Quelques minutes seront déjà beaucoup, au début, avant qu'une pensée ne vienne vous kidnapper et vous replonger dans votre monde intérieur, votre «réalité», qui n'est pas le Réel.

La méditation *vipassana* toute entière (celle qui fut enseignée par le Bouddha) est basée sur cet exercice. Il s'agit de rester conscient de ses sensations durant des heures. Sa pratique quotidienne peut beaucoup aider.

Si vous voulez rencontrer l'amour (je ne parle pas ici de l'Amour, mais bien d'un amour tout simple, très matériel, très ordinaire), il vous faut vous aimer un peu. Vous accorder suffisamment d'importance pour entamer une psychothérapie et une pratique qui vous permettra de renouer avec vos sensations.

La méditation *vipassana* vous apportera une *conscience de soi* accrue. Le Tantra, ou toute activité thérapeutique se référant à la bioénergie, vous permettra de renouer avec vos *sensations*. Alors, vous *existerez* et il y aura en vous une conscience consciente d'elle-même susceptible d'aimer. En effet, il y aura un être conscient, un *acteur* libéré du refoulement et non un enfant inconscient réagissant aveuglément.

Très nombreuses sont les personnes qui recherchent des recettes faciles et efficaces afin de trouver l'amour. À l'exposé d'une telle «médication» (deux heures de méditation par jour et quelques stages de Tantra ou de bioénergie par an), elles repartent déçues. Ceci leur paraît trop «spiritualiste» et trop compliqué.

Trop compliqué? S'occuper de soi deux heures par jour et pratiquer le «rappel de soi». Deux heures par jour, c'est le temps moyen que passent les Français devant leur télévision! Le «rappel de soi» se pratique partout, dans la rue, au travail et ne nécessite aucun investissement en temps ou en argent.

Trop «spiritualiste»? Effectivement, tant que la dimension spirituelle de l'amour incarné échappera à ces personnes et qu'elles la refouleront, je ne puis rien dire ou faire qui ait quelque réalité pour elles.

Je vois dans ces objections plutôt une fuite devant l'effort de conscience et la nécessaire levée du refoulement. Partir à la recherche de l'amour, c'est aussi affronter sa propre souffrance. C'est notre quête du Graal, notre aventure. Et si nous fuyons dans la dépendance sexuelle, la dépendance affective, le conformisme, l'alcool, le tabac, les drogues illégales, les drogues légales, le pouvoir, la reconnaissance sociale, l'argent; si toute notre société n'est qu'une gigantesque fuite devant la confrontation du manque d'amour, il est naturel que cette aventure nous paraisse fort risquée, longue et incertaine. Car elle l'est, objectivement. Vivre est dangereux. On ne sait jamais où ça mène. De plus, ça finit toujours par la mort.

Peut-être ayant atteint l'Amour, nous attendrons la mort avec
une sereine tranquillité? Car alors nous aurons rempli notre
mission, nous aurons atteint la Conscience.

Conflit et conscience

Être capable de ressentir avec exactitude ses sensations et
émotions, puis de les exprimer avec sincérité va nous donner
accès à l'un des moyens de progression vers la Conscience le
plus efficace que la vie puisse nous fournir : le conflit avec le
partenaire.

En effet, le Moi se détermine par rapport à l'Autre, à tout ce
qui n'est pas Moi. On peut représenter ceci par le très simple
schéma suivant :

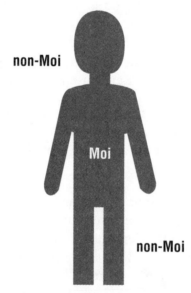

Les personnes qui se ressentent bien assimilent en général
leur Moi à leur corps physique tout entier. La peau, organe
récepteur des stimuli, constitue la frontière entre le Moi et
l'Autre, le non-Moi.

De même, la capacité à dire «Non» marque les limites de
notre univers mental, notre sensation d'exister. C'est la peau

de notre «corps» mental. *Ce qui est Moi, ce sont les idées que j'accepte comme étant miennes; ce qui «n'est pas Moi» sont celles que je considère comme m'étant étrangères.*

La frontière, l'interface entre Moi et le reste du monde, c'est le choix entre le oui et le non. «Oui, cela je le pense.» «Non, je n'accepte pas cela. Cela ne me convient pas.» Ce «Non» nous permet de *nous situer*, de savoir *qui* et *où* nous sommes. Il contient notre Moi; il le dessine, par opposition à un intérieur où règne le «Oui» : «Voici ce que je suis.»

On peut considérer que le Moi, le sentiment d'exister, se fondent sur des *valeurs* : «Voici ce à quoi j'adhère» et des *non-valeurs* : «Voici ce que je n'accepte pas.»

Le conflit va nous permettre de *structurer notre Moi*, de rendre conscientes nos valeurs et nos non-valeurs. La relation avec l'Autre, en nous amenant à prendre conscience de ce qui est fondamental pour nous, va nous permettre de préciser quels sont nos buts dans la vie, incarnations de nos valeurs.

On voit que le conflit peut constituer le moteur d'une évolution vers la Conscience. *La gestion des conflits est une activité spirituelle.*

Le plus souvent nos valeurs réelles sont tout à fait inconscientes.

Parfois je propose à certaines personnes d'inscrire sur de petits cartons les valeurs qui les font agir. Non celles dont elles rêvent, mais celles qui les motivent réellement dans leur vie quotidienne. Puis de les hiérarchiser. Il est stupéfiant de constater à quel point ce simple exercice («Est-il plus important pour moi de gagner beaucoup d'argent ou de vivre à la campagne, de me marier ou d'avoir une grande liberté sexuelle, de réussir professionnellement ou de fonder une famille?...») révèle que la plupart d'entre elles ignorent les valeurs qui les font agir.

Elles ne ressentent pas les buts véritables qu'elles poursuivent. Comment dès lors pourraient-elles être heureuses?

Le conflit avec le partenaire va nous permettre de dire non, de mieux nous cerner, et partant, de savoir qui nous sommes réellement.

Cela ne sera possible que si le non est vécu en toute conscience, dans l'amour, l'acceptation de l'Autre et de sa différence. Cela ne sera possible que si la relation n'est pas dépendante; le fait de dire non au partenaire ne remettra pas en cause l'amour que l'on se porte mutuellement; ne culpabilisera pas celui qui refuse et ne bouleversera pas celui qui reçoit ce non en provoquant chez lui une angoisse d'abandon.

Si les partenaires maîtrisent bien les outils que sont la «communication du cœur» et le concept de «réalité de l'Autre», alors ils se diront «merci» pour chaque conflit. Celui-ci va leur permettre de progresser vers la Conscience. Et nous avons vu que c'est là le but fondamental du couple.

Le conflit dans le couple nous met face à notre vérité. En restimulant de vieilles souffrances refoulées, de vieilles peurs d'enfermement ou d'abandon, il va nous permettre de faire remonter à la surface de la conscience une problématique refoulée.

Si les partenaires connaissent bien le mécanisme de la projection, ils éviteront de fuir cette souffrance en accusant le conjoint de l'avoir créée pour, au contraire, en prendre une totale responsabilité.

Ils ne diront plus : «Tu es *toujours* à me demander *trop*, j'en ai marre», mais «Ta demande de contact physique réveille chez moi un malaise très fort. Je me sens mal.» et s'isoleront, si nécessaire, afin de *ressentir* pleinement ce malaise qui finira un jour ou l'autre par livrer la clef qu'il détient.

Le partenaire acceptera totalement, sans aucune culpabilité, d'avoir restimulé ce malaise, car il sait qu'il fait partie de la vie, cette énergie qui nous présente sans cesse les problématiques que l'on préféreraient éviter, jusqu'au jour où, les ayant confrontées avec courage, nous nous en libérons.

Nous seuls pouvons faire ce travail. Il est inutile de reprocher à notre partenaire de nous y convier. Si ce n'est pas lui, ce sera une autre personne, une autre situation, probablement encore plus désagréable ou cruelle : la vie fait toujours avec le moins de souffrance possible. Mais si nous refusons les occasions les plus faciles, alors il faudra bien que la «leçon» soit présentée avec plus de clarté et de force!

Certains thérapeutes peuvent, grâce à l'hypnose, induire chez leurs patients un arrêt total de la consommation du tabac ou toute autre dépendance, et ce, en quelques semaines. Je trouvais cela fantastique jusqu'à ce que j'en vins à constater que le symptôme du manque fondamental que l'usage du tabac ou de l'alcool contribuait à refouler réapparaissait systématiquement sous une forme névrotique *toujours plus grave*.

Tel qui arrête de fumer... se met à boire. Telle qui a inhibé sa peur des hommes par l'hypnose... devient hystérique! Il semble bien que tout symptôme névrotique soit le moyen le moins coûteux de gérer le refoulement de la peur/haine et du manque d'amour. Son inhibition par l'hypnose ou la volonté provoquera fatalement l'apparition d'un symptôme différent et plus grave. On ne peut se libérer d'une névrose que grâce à une prise de conscience et non en déplaçant le symptôme.

S'il se situe lui-même dans la conscience, notre partenaire, en nous offrant la possibilité de confronter le refoulement primordial, nous fait le plus beau cadeau qui soit : un pas vers la Conscience.

Nous pouvons le haïr. Cette haine ne s'adresse pas véritablement à lui, mais au père et à la mère. Et il le sait. Nous pouvons le lui dire; son amour peut accepter cela; il n'est pas conditionnel.

Le «couple conscient», comme j'aime à l'appeler, n'est pas forcément un lac placide, ni «un long fleuve tranquille»; il est un organisme en pleine croissance, plein d'énergie, de dynamisme, de conflits qui se résolvent dans le jeu et l'amour. *Il est profondément humain et profondément vivant.*

L'audace d'aimer

Qu'est-ce qui nous empêche de construire une telle relation? Le manque de courage, bien sûr; celui de confronter la peur et la haine refoulée.

C'est là la «lâcheté» originelle, notre incapacité à nous remettre en cause, à accepter de changer, de lâcher nos vieilles illusions, de mourir à nous-mêmes avant de renaître, différents, et donc pas nous-mêmes. Cela nous terrifie. On le voit bien dans le secret du cabinet du thérapeute.

Le patient doit remettre en question les fondements mêmes de sa personnalité, de ce qu'il prend pour son Moi, alors que cela n'est qu'une image du Moi : le Surmoi, cette personnalité artificielle fabriquée par l'éducation. Le patient est, au sens le plus littéral du mot, terrifié; il a l'impression de mourir. Et effectivement, il meurt : il évolue comme la chenille «meurt» pour devenir papillon.

Nous craignons d'affronter notre vérité, mais nous craignons tout autant d'affronter les réactions des autres, si nous exprimons *notre* vérité. Nous avons peur de blesser les gens et nous nous taisons, nous trahissant ainsi en ne respectant pas notre intégrité. En fait, nous reculons devant la confrontation avec eux, faute du courage de les affronter sans nous sentir menacés ou coupables.

Trop souvent, nous nous «sacrifions» pour maintenir en vie notre couple. En fait, il s'agit là d'une illusion. Nous sacrifions notre intégrité personnelle pour perpétuer le *confort* que nous apporte la relation. Ce que nous recherchons, c'est tout simplement à éviter de rencontrer la haine refoulée et la sensation du manque d'amour. La survie du couple n'est qu'une excuse. S'il n'existait pas, nous trouverions autre chose.

La plupart des femmes et des hommes qui s'engagent dans la voie spirituelle ou bien dans une psychothérapie très poussée mettent leur couple en danger. C'est inévitable.

Ils se sont mariés dans l'inconscience; ils évoluent maintenant vers la conscience; ils «meurent» à eux-mêmes; ils ne «sont plus les mêmes». C'est ce que reprochent fréquemment amis et conjoints à la personne qui évolue. «Tu as changé, tu n'es plus celui que j'ai épousé!» En fait, ils ont peur. Si l'Autre change, cela va les mettre en face de leur propre responsabilité d'être spirituel. Ils devront alors évoluer et, pour ce faire, rencontrer leur souffrance. Et c'est précisément cela qu'ils cherchent à éviter.

Le couple, par nature, devrait être un lieu d'évolution. Il ne peut être statique; il vit. Parfois, il se peut qu'il n'ait plus de raison d'être. Dans ce cas, la séparation s'avère nécessaire.

Si la relation est une relation de dépendance, cela est un déchirement, une perte terrible. Mais si la relation évolue dans la Conscience et l'Amour, alors les deux amants ou les deux conjoints peuvent se séparer tout en continuant de s'aimer, de se respecter et, éventuellement, s'entraider à affronter ce difficile passage dans leur vie.

Il s'agit là de la plus haute forme de courage : celui d'accepter la totale responsabilité de nos émotions et de notre évolution spirituelle. De ne pas tenter de les faire porter par l'Autre ou les noyer dans le confort d'une relation.

Il nous faut avoir le courage d'effectuer notre tâche et accomplir notre travail intérieur sans demander au partenaire de le faire à notre place. Lorsque nous désirons échapper à notre travail, à notre mission, il est très facile de l'accuser de nous y contraindre! Si cela s'avère exact, alors la séparation s'impose. Si cela est faux, comme c'est le plus souvent le cas, provoquer une scène de ménage au lieu de confronter calmement l'émotion qui menace de nous submerger, c'est encore une fois fuir le travail, la progression vers la Conscience.

Toute scène de ménage, tout conflit qui débouche sur la violence, même bénigne, est une occasion de progression que l'on a refusée. La seule attitude créatrice de vie consiste à percevoir nos émotions, à les exprimer à notre partenaire et à écouter l'expression de ses propres émotions. C'est la «communication du cœur» telle que nous l'avons exposée.

Cette technique de communication, qui paraît si simple et pragmatique, constitue en fait le fondement de notre progression vers l'Amour-Conscience dans le couple. Il nous suffit d'*oser* l'employer. D'avoir ce courage. *D'avoir l'audace d'aimer.*

Le lâcher-prise

Le courage ultime, celui qui conditionne tous les autres, est le «lâcher-prise».

Nous avons vu que le contrôle est l'outil du mental. Nous nous contrôlons afin de ne pas ressentir nos émotions. La personne jalouse tente de contrôler l'Autre afin de ne pas ressentir son angoisse d'abandon.

Vivre, c'est prendre le risque de voir les choses changer!

Vivre, c'est laisser circuler le flux de l'amour. L'amour aussi évolue. La jalousie, c'est se crisper sur la possession de l'Autre.

Aimer, c'est avoir l'audace de vivre. C'est dire «Oui» à ce qui est. Simplement parce que cela est. Dire «Non» ne peut qu'apporter plus de souffrance, moins de vie et d'amour. Ayez l'audace de dire oui à la vie. Alors vous aimerez et vous serez aimé.

N'ayez plus peur.

Sixième partie

LE COUPLE
CONSCIENT

Chapitre XIV
La relation vivante

Des physiciens tels Stenghers et Prigogine nous enseignent que la vie est cette «intention» qui pousse la matière à s'organiser en des structures de niveaux informationnels sans cesse plus élevés. Cela signifie que la vie est un échange sans cesse plus intense d'informations, donc de savoir, donc de conscience de soi, donc de Conscience.

La vie est l'énergie qui se développe vers toujours plus de Conscience à travers l'Amour. Des protozoaires à l'être humain, une évolution a produit sans cesse plus de conscience, en passant par le ver de vase, la méduse, le poisson, le requin, le dinosaure, l'oiseau, le singe, l'australopitèque et bien d'autres «niveaux d'ordre».

Les physiciens d'aujourd'hui commencent à percevoir le mécanisme exact de cette évolution dotée d'un tropisme et en viennent à lui donne le nom d'«intention».

Toute entité matérielle est parcourue par des flux d'information. Ces flux obéissent à des lois qui semblent concourir à atteindre un but.

Par ailleurs, nous découvrons depuis peu que l'information, c'est de l'énergie. Les sociétés les plus puissantes sont celles qui maîtrisent l'information. Ce sont les sociétés qui détiennent le savoir. Elles fonctionnent sur des rythmes et des niveaux énergétiques beaucoup plus élevés que les sociétés qui maîtrisent moins de savoir. Ainsi, l'Union soviétique a perdu son pouvoir, car la répression politique nécessaire pour maintenir son organisation idéologique basée sur le mental seul, sur une idée et non sur le réel, donc névrotique, ne permettait pas une liberté totale des flux d'information, de l'énergie et, par conséquent, de la puissance.

J'ai un peu vécu en Union soviétique, il y a quelques années, et j'étais effaré de voir qu'à l'époque il fallait obtenir l'agrément d'un chef de service pour faire une photocopie! La machine était fermée à clef, car elle pouvait servir à diffuser de l'information subversive. Toute communication était potentiellement dangereuse pour le régime. Même si les savants et les chercheurs de haut niveau bénéficiaient d'un régime exceptionnellement libéral, tout le reste de la société se nécrosait faute d'un flux d'information-énergie suffisant. Et l'Union soviétique disparut, car la vie l'avait quittée.

De même au sein d'une famille, si le père ou la mère ne permettent pas la libre expression de leurs sentiments et de ceux de leurs enfants, le flux de la vie la quittera peu à peu, elle se nécrosera comme un organe que le sang n'irrigue plus, deviendra une terre aride comme le Sahel où la pluie n'apporte plus la vie.

De même dans le couple. Si le libre ressenti et sa libre expression ne nourrissent pas le couple, celui-ci deviendra rigide, sera une prison plutôt que le lieu du plaisir.

Laisser circuler les flux d'information-énergie au sein du couple consiste, d'une manière très concrète, à :

- se ressentir soi-même;
- communiquer ce ressenti;
- accepter de recevoir la communication du ressenti de l'Autre.

C'est aussi simple que cela! C'est là l'extraordinaire puissance de la simplicité!

Rester centré

Se ressentir soi-même. Tout d'abord, se *respecter* soi-même, ne pas perdre le contact avec ses sensations sous prétexte de répondre à l'attente de l'Autre. L'amour nous attire vers l'Autre, car il est fascination, promesse de fusion. C'est un des plus grands plaisirs de la vie. Mais il doit être vécu dans la Conscience, dans la conscience de soi.

Se «dissoudre» en se perdant dans l'Autre est très tentant. Nous avons vu que c'est une tentative de retrouver l'état nir-vanesque de toute-puissance et d'irresponsabilité du fœtus.

Il existe une autre voie de fusion qui consiste à se dissoudre *avec* l'Autre. C'est l'amour conscient. Si aimer c'est s'ouvrir totalement à l'Autre, cette ouverture peut se pratiquer en maintenant absolument sa propre intégrité, en conservant une totale conscience de soi. D'où l'importance d'un Moi bien structuré dans la relation amoureuse.

L'amour, c'est s'ouvrir peu à peu à l'Autre, pousser sans cesse la communication vers des niveaux plus élevés, ce qui aura pour effet d'accroître dans la même mesure l'énergie vitale du couple. Le sentiment d'amour grandira et, avec lui, la possibilité d'une progression vers la Conscience par la connaissance de soi-même. Cependant, on *ne communique que des sentiments et des sensations*. Toute pensée est basée sur une sensation. Le niveau de communication du couple, donc l'intensité du sentiment amoureux, dépendra directement de la capacité des partenaires à ressentir leurs émotions, sentiments et sensations.

Pour communiquer avec l'Autre, il faut tout d'abord communiquer avec soi.

Cela peut paraître très banal. Pourtant, combien d'amants, plongés dans le ravissement de la découverte de l'autre, s'ou-blient eux-mêmes!

Ce n'est pas l'Autre qui provoque cet oubli d'eux-mêmes. Le partenaire n'est qu'une occasion supplémentaire de fuite devant la confrontation du refoulement de la peur/haine et du manque d'amour. Cigarettes, alcool, sexualité, pouvoir, argent, feraient tout aussi bien l'affaire.

Pour aimer, il est nécessaire de rester centré sur soi.

En effet, nous avons vu que pour aimer, il faut être deux! Il y a Moi. Il y a l'Autre. Si nous ne nous percevons plus nous-mêmes, il n'y a plus de Moi. Il n'y a plus «deux». Il n'y a plus d'amour possible.

Nous pouvons visualiser ceci de la manière suivante :

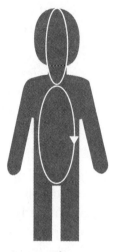

Ceci est un organisme vivant. Il a conscience de lui et se sent exister, car son mental communique avec son corps; il ressent ses sensations.

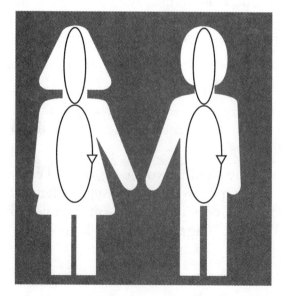

Voici deux organismes vivants conscients d'eux-mêmes. Ils sont face à face, se perçoivent clairement eux-mêmes et perçoivent l'Autre.

Voici un autre type d'organisme vivant : le couple. Le schéma des communications informationnelles et énergétiques est plus complexe. Il dépend de trois facteurs :

- la capacité de l'homme à communiquer avec lui-même (ressentir ses sensations);

- la capacité de la femme à communiquer avec elle-même (ressentir ses sensations);

- leur capacité à se communiquer mutuellement leurs ressentis.

La force vitale du couple dépendra de l'intensité de la communication intrapersonnelle qui conditionne la communication interpersonnelle.

Ce qui permet la survie du couple, c'est la capacité des partenaires à ressentir leurs propres émotions.

Le Tantra, tel qu'il est pratiqué en France, a repris certaines techniques énergétiques qui permettent à ceux qui les utilisent de ressentir, par l'expérience directe, le lien entre communication, énergie et amour.

La plupart des exercices de base proposés lors des stages de Tantra en France sont tirés de la bioénergie de Lowen et du *kundalini-yoga*. Ils consistent à revitaliser la communication entre le corps et le mental, en abaissant le «niveau des défenscs», afin de permettre aux émotions refoulées de parvenir à la conscience puis de s'exprimer.

Taper du pied en disant «Non» en face d'un partenaire qui dit «Oui»; essayer de persuader un partenaire par toutes sortes de «oui» prononcés de façons différentes (impérieux, dominateur, implorant, séducteur...); taper sur des coussins, sont quelques-uns des innombrables exercices utilisés afin de mobiliser le corps et prendre conscience des raideurs musculaires qui maintiennent en place le refoulement psychologique. (Nous étudierons cette relation entre le corps physique et le mental dans le volume *Plaisir et Jouissance*.) Les participants retrouvent ainsi une certaine capacité à ressentir leurs émotions. Ils restaurent leur sensibilité, ce qui va leur permettre de *communiquer*.

Au cours des stages de Tantra, cette communication ne passe pas forcément par les mots. Tout échange d'énergie constitue une communication. Deux êtres ayant recouvré leur sensibilité peuvent échanger des énergies subtiles sans même un contact corporel. Ainsi, au cours des stages de Tantra organisés par Jean-Jacques Rigou, un rituel tantrique traditionnel permet d'établir, dans un cadre spirituel, cet échange d'énergie. En voici une brève description.

Le groupe s'établit en couples, assis en tailleur en deux cercles concentriques. Les femmes à l'intérieur sont tournées vers leurs partenaires masculins qui forment le cercle extérieur, faisant face au cercle des femmes.

La respiration peut être utilisée pour accroître l'énergie intérieure et une forme de communication est établie soit par un contact visuel, soit par un contact physique, par exemple la main posée sur le cœur du partenaire. Le maître du rituel apporte un autre type d'énergie telle la vibration d'un gong qui stimule celle des partenaires.

Alors, on peut ressentir à quel point notre sentiment d'exister se construit à partir des sensations qui montent du ventre et du sexe avant d'être conscientisées dans la tête. Le rythme du souffle, en intensifiant ce processus, permet de le rendre perceptible.

Les deux partenaires, étant ainsi fortement «chargés» en énergie et bénéficiant d'une grande capacité à se ressentir eux-mêmes, perçoivent une intensification de leur communication. Ils peuvent, s'ils sont suffisamment sensibles, ressentir qu'un échange d'énergie s'établit entre eux.

Ce flux monte du ventre, se communique au partenaire au niveau du cœur, des yeux ou de la tête, selon l'intensité de l'exercice, redescend chez lui dans le ventre et le sexe, en ressort renforcé pour pénétrer à nouveau en soi, au niveau du ventre et du sexe. Un flux inverse s'établit parallèlement. On peut visualiser cet échange ainsi :

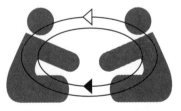

ou bien

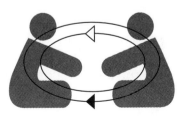

L'accroissement progressif de l'énergie véhiculée par le flux de la communication permet d'atteindre une ouverture totale à l'Autre, une affinité totale avec soi-même et avec l'Autre, un total lâcher-prise qui permet la jouissance, l'orgasme vérita- ble, c'est-à-dire la disparition du sentiment de l'ego, d'être séparé, coupé du Tout. La résolution momentanée du manque d'amour et de l'angoisse de la séparation avec le Tout permet d'atteindre l'Amour. Ce que vivent les partenaires à ce moment-là est une exstase; ils se libèrent du caractère condi- tionné et limité de leur incarnation pour ressentir qu'au-delà de leur corps ils sont et ils Aiment.

Il est inutile de vouloir décrire ou expliquer plus avant ce qui se passe. Nous y reviendrons dans *Plaisir et Jouissance*. Il suffit de savoir que l'amour peut s'atteindre en dehors de tout rap- port génital et que cela qui le provoque, c'est la conscience de soi et la communication, deux formes de la Conscience.

Pour aimer, il nous faut être conscients et communicants. On peut jouir totalement, Aimer l'Autre, sans jamais se perdre en lui et en restant absolument conscient de soi.

Le «cas Jean et Aline»

Tentons maintenant d'appliquer les principes de la «communi- cation du cœur», de la réalité, de l'affinité et de la conscience de soi à la résolution d'un cas authentique.

La thérapie de couple qui suit s'est étendue sur deux années. Son récit dure quelques minutes. Il présente tout un ensemble de situations fort complexes, avec le bel ordonnancement des faits, après qu'ils aient été perçus en toute conscience.

Cette progression vers la conscience fut beaucoup plus com- plexe que le bref exposé qui suit peut le laisser supposer. Cependant, malgré cette simplification outrancière, ce texte donnera une idée du travail que l'on peut faire au sein du couple, si celui-ci est perçu comme un lieu d'évolution.

La séduction

Jean et Aline se sont rencontrés par l'intermédiaire des annonces du *Nouvel Observateur*. Aline avait écrit une première fois à Jean, qui n'avait pas répondu, trouvant sa lettre par trop banale. Il recherchait une femme créatrice, artiste, d'un bon niveau social et dotée de responsabilités. Aline était psychologue dans un centre social.

Jean n'ayant pas trouvé l'âme sœur suite à sa première annonce, en publia une autre, assez différente, à laquelle Aline répondit à nouveau sans savoir qu'il s'agissait du même homme.

À cette époque, son principal souci était de fonder un couple, puis d'avoir des enfants et de mener une vie calme et agréable, peut-être à la campagne. Grâce à des habitudes d'épargne, elle avait pu s'acheter un appartement et vivait correctement à Paris, bien qu'astreinte à une grande prudence dans ses dépenses.

Affectueuse, ouverte, avenante, dynamique, elle menait une vie sociale assez riche, ayant de nombreuses amies. Elle avait longtemps collectionné les amants, en avait perdu le compte, mais en estimait le nombre à quelque quarante.

Jean était journaliste indépendant. D'un caractère assez tourmenté, il avait du mal à maintenir des collaborations suivies bien que son travail soit généralement apprécié. Brillant causeur, séducteur, il n'avait cependant aucun ami et, à vrai dire, n'en ressentait pas le besoin. La moitié de sa vie, disait-il, était constituée par ses relations avec les femmes. Il en avait connu un grand nombre et avait noué, avec certaines d'entre elles, des relations d'une grande profondeur et d'une grande sincérité. Tout au moins le pensait-il. Il n'avait jamais songé à s'engager pour toujours, préférant «sa liberté à l'enfermement dans le couple».

Lorsqu'il lut la seconde lettre d'Aline, il fut amusé de s'apercevoir qu'elle lui avait écrit à deux reprises. Il lui téléphona et ils convinrent de se rencontrer.

Ils se retrouvèrent devant une librairie. L'apparence d'Aline déçut Jean. Bien que mignonne, elle était assez banale. Quant à Aline, elle attachait assez peu d'importance à ce que l'aspect physique de Jean pouvait, lui aussi, présenter de relative médiocrité. Lors du premier repas qu'ils prirent au restaurant, Jean déploya toute sa séduction ainsi qu'il savait le faire intuitivement. Il raconta ses reportages, se montra cultivé, entreprenant et dynamique. Aline tomba sous le charme. Plus spontanée, elle parla d'elle-même avec simplicité, bien qu'elle s'arrangea pour signaler que sa famille avait autrefois été très riche.

Quelques commentaires

Dans ce jeu de séduction, la seule chose qui intéresse Jean est d'amener Aline à faire l'amour avec lui; il la trouve assez excitante car elle était pleine de vie. Il est seul; il cherche une partenaire sexuelle et peut-être une compagne avec qui il puisse partager certains goûts, tels les voyages, la musique classique, les discussions intellectuelles. Il ne cherche nullement à se marier.

Aline, elle, cherche à fonder une famille. Elle n'a rien contre les voyages, la musique classique et les discussions intellectuelles, mais voyage fort peu, ayant choisi de consacrer toutes ses ressources à l'achat d'un appartement, va très rarement écouter de la musique classique et pratique tout aussi rarement la discussion intellectuelle. Bien sûr, elle aime aussi faire l'amour et Jean commence à lui plaire.

Finalement, qu'ont-ils en commun? Aline cherche un mari. Jean cherche une amante. Leurs vies sont très différentes; celle de Jean, c'est l'excitation d'un reportage difficile à réaliser, l'incertitude financière, aucun horaire; celle d'Aline est réglée comme du papier à musique : son travail, les vacances auprès de sa famille.

Ce qu'évite Jean, c'est l'engagement. Ce que recherche Aline, c'est l'engagement.

Pourtant, ils éprouvent du désir l'un pour l'autre, et Aline invite Jean à finir la soirée chez elle. Assez tard, Jean, qui éprouve beaucoup de désir pour Aline, est malgré tout prêt à rentrer chez lui. Aline, sentant que sa liberté est entièrement respectée, peut alors s'abandonner à son propre désir et ils finissent par s'aimer avec une grande liberté et beaucoup de tendresse.

Ils viennent de trouver une *réalité commune* : ils sont tous deux très sensuels et prennent un immense plaisir à faire l'amour ensemble. C'est là tout ce qu'ils ont en commun. Cependant, leur relation fonctionne. Ils se revoient régulièrement. Jean s'absente souvent pour effectuer ses reportages et leur désir se maintient ainsi à un très haut niveau.

Notons toutefois qu'ils n'ont pas exprimé leurs demandes respectives. Aline cherche un mari mais prend un amant. Jean ne trouve pas chez Aline la compagne dont il rêvait mais une excellente partenaire sexuelle. Aucun des deux ne peut exprimer à l'autre sa recherche véritable, car il a peur que sa sincérité mette fin à la relation. *Ils ne communiquent pas véritablement.*

L'«amour» naissant

Quelques mois après, Jean commence à apprécier le relatif confort et la quiétude qu'il trouve auprès d'Aline. Le fantasme d'un mariage commence à lui traverser l'esprit. Bien qu'Aline soit assez réservée sur le sujet, Jean a tout à fait perçu à quel point était fort son espoir de se marier avec lui.

Un jour, subitement, il se décide et lui propose le mariage. En fait, ce qui apparaîtra en thérapie est l'angoisse permanente de Jean : il souffre d'une peur inconsciente d'être battu comme il le fut tout enfant, par son père. Il vient de subir plusieurs échecs professionnels qui ont restimulé très fortement cette angoisse. Il se sent «abattu». Ce qu'il trouve chez Aline, c'est un havre de paix, la possibilité de se faire dorloter, d'être admiré, d'être accepté et aimé. Chez elle, il se sent en sécurité.

Pour Aline, Jean est l'«homme de sa vie». Son père l'a quasiment abandonnée peu après sa naissance, ne s'occupant d'elle que très occasionnellement. Aline a conservé l'espoir d'exister un jour aux yeux de son père. Jean ressemble au père par son côté «baroudeur». Il remplira pour Aline la fonction de ce géniteur trop absent. Le but d'Aline est désormais fixé. Il s'agit pour elle d'*exister aux yeux de Jean.* Ce qu'elle espère, c'est que Jean lui donne toute son attention, soit tourné vers elle. Elle veut «compter» pour Jean. Être *importante* pour quelqu'un. Cependant, à l'époque, elle n'en est pas consciente.

Quant à Jean, il trouve auprès d'Aline une *consolation à ses échecs;* il aime bien se faire dorloter. Aline joue un peu le rôle de la mère consolatrice auprès de l'enfant battu par le père. Jean supporte très mal les coups reçus dans la vie. Le moindre échec l'accable car il restimule le drame de son existence, qui est d'avoir été battu d'une façon inhumaine par son père.

N'ayant pu, de ce fait, se structurer grâce à la présence pater-nelle, il n'a pu se construire un Moi solide. Il est encore un enfant souffrant, surcompensant sa peur des autres par le courage dont il fait preuve dans son métier. Il croit trouver dans le mariage un retour à la paix, un port sûr, toujours ouvert, où venir se reposer lorsqu'il est fatigué. Cependant, il s'imagine toujours en bateau de haut-bord, partant régulière-ment à l'aventure. Le port doit toujours être disponible, il sera heureux d'y faire escale, mais il n'envisage nullement de s'amarrer à demeure. Pour lui, des haussières chargées d'algues, signe qu'elles sont en place depuis longtemps, est le signe de l'horreur!

Ce qu'il eut été possible de faire

Jean comme Aline n'étaient pas en mesure à l'époque de décrypter leurs propres inconscients. Cependant, point n'est besoin de connaître l'origine inconsciente de nos attentes pour savoir qu'elles existent. La définition du Moi peut ici nous aider à savoir *qui* et *où* nous sommes. Concrètement, ce sont nos *valeurs* qui nous disent ce que nous sommes.

Il existe un petit jeu très amusant qui peut vous permettre de déterminer quelles sont vos valeurs. Non les valeurs idéales de votre Surmoi, de l'image que vous avez de vous-même, mais les choses de la vie qui vous motivent réellement. Celles qui vous font agir. Inscrivez très rapidement et sans réfléchir (et sans bloquer votre respiration, ce qui a pour effet d'empêcher vos ressentis de remonter à la conscience) les vingt actions ou objets qui provoquent chez vous du plaisir, un sentiment de bonheur.

Cela peut donner : argent, nourriture, sexe, nature, musique, amour, réussite, voyages, mer, eau, vent, etc.

Reportez sur vingt cartons ces valeurs. Mettez le premier carton devant vous et tirez le second. Lequel provoque le plus de plaisir ou de désir? Placez celui-ci en haut de la colonne. Renouvelez l'opération vingt fois : vous venez de hiérarchiser vos valeurs.

Pour la première fois peut-être vous venez de jeter un coup d'œil (certes approximatif) sur la structure de votre Moi. Vous venez de faire un pas vers la conscience.

Si Jean et Aline avaient procédé à ce jeu, Aline aurait déterminé qu'en matière de couple, ses premières valeurs étaient fidélité, engagement, tendresse, bébé, famille, sexualité, sécurité, et Jean, sexualité, aventure, dynamisme, liberté, tendresse.

Rappelons-nous que le moi se structure par rapport au non-Moi. La «communication du cœur» aurait permis à Aline de dire à Jean en toute sincérité : «Voici ce à quoi je veux dire oui et ce à quoi je ne veux pas dire oui. Les valeurs que tu me proposes telles aventures et liberté sexuelle, je leur dis non. Ce n'est pas Moi, ce n'est pas ce que je recherche.»

Ils auraient alors constaté que leur *réalité commune* consistait en la sexualité et le tendresse partagée. Telle était la vérité, leur réalité de couple; c'était cela et pas autre chose. Les tonnes de fantasmes, projections et espoirs qu'ils entretenaient en leur for intérieur ne pouvaient rien face à la vérité. Ce qui les unissait, c'étaient la sexualité et la tendresse consolatrices de leurs «enfants tristes».

Jean, qui plaçait la sexualité en premier, aurait pu alors éventuellement se questionner sur ce qu'il y recherchait véritablement.

Aline, qui considérait la relation de couple comme prioritaire, aurait pu alors se questionner sur la nature de ce besoin de relation. Ils se seraient peut-être découverts dépendants sexuels et affectifs, porte ouverte sur une autre progression vers la Conscience. Conscience de soi et communication du cœur leur auraient permis de *maintenir leur intégrité* l'un par rapport à l'autre, de connaître leurs besoins véritables et de les exprimer. Ils auraient peut-être dû renoncer à leur idée de mariage ou bien à la conception qu'ils avaient du couple marié.

Si Aline avait décidé que Jean était l'homme avec lequel elle avait envie de vivre («lui et pas un autre»), ils auraient dû alors examiner ensemble ce qu'il *voulait* lui donner de bon cœur et ce qu'il *refusait* de lui donner. En ce qui concernait l'engagement et la fidélité sexuelle, Aline aurait pu faire de même. Ils auraient ainsi fait le constat de leur *réalité* commune. Certes, il s'agit là d'attitudes qui demandent du courage : affronter la vérité de la relation, quitte à devoir renoncer à celle-ci. Mais ce sont ces attitudes de responsabilité qui amènent peu à peu à l'amour véritable.

Se laisser emporter par la passion et les attentes fantasmatiques inconscientes ne peut qu'entraîner la déception et la disparition de l'amour. En effet, une telle attitude privilégie l'*irréalité*, interdit une véritable *communication* et donc une véritable *affinité*.

Jean et Aline ont choisi de ne pas s'affronter avant leur mariage au sujet de l'enfant qu'Aline espère et de la fidélité sexuelle qu'elle exige ainsi qu'au sujet de la liberté nécessaire à Jean. Ils ont contourné l'obstacle dans leur désir d'assouvir leurs manques respectifs, celui de l'amour parental dont ils ont tous deux été frustrés. Aux dépens de leurs valeurs personnelles et de leur intégrité. *Pour obtenir de l'amour, ils se sont trahis eux-mêmes.*

Le mariage

Aline et Jean se marièrent très simplement. Jean n'invita pas sa famille et Aline se contenta d'une dizaine d'amis. Dès le début de leur vie commune, la relation se révéla bien plus difficile à gérer que les deux amants ne l'avaient imaginé.

D'ailleurs, ils n'avaient rien imaginé. Ils s'étaient mariés en croyant pouvoir conserver à tout jamais l'assouvissement de leur manque d'amour. Jean avait trouvé chez Aline une partenaire sexuelle telle qu'il les aimait et Aline avait trouvé chez Jean une figure paternelle qui lui accordait de l'importance. Leurs deux «enfants tristes» se mariaient, mais pas leurs «adultes»!

Le premier conflit

Un jour, Jean décida de rencontrer une de ses ex-amantes dans un café afin de se livrer à l'une de ses interminables joutes intellectuelles que tous deux affectionnaient. Il ne pouvait se livrer à cette activité avec Aline dont ce n'était nullement le domaine de prédilection.

Aline exigea de rencontrer cette amie, d'aller un instant au café avec eux avant de les laisser seuls. Elle en profita pour inviter l'amie de Jean à dîner et s'en alla préparer le repas en bonne ménagère! Jean se sentit pris dans un effroyable étau. Aline venait de lui faire sentir qu'il avait perdu sa liberté.

Tous deux comprirent ensuite, en thérapie, qu'Aline avait «marqué son territoire» par peur et qu'elle n'avait pu respecter la liberté de Jean de se livrer à certaines activités (non sexuelles) avec d'autres femmes sans son contrôle. Jean perçut alors que cette exigence de liberté, si fondamentale pour lui, venait de la sensation d'étouffement que restimulait en lui le simple fait de s'être marié.

Aline n'en était pas directement responsable. Mais sur le moment, le ressentiment réciproque et les reproches envahirent la scène. La communication était rompue et la sexualité réussie ainsi que la tendresse, qui constituaient en fait toute leur relation, disparurent.

Ce qu'il eut été possible de faire

La rencontre entre l'angoisse d'abandon d'Aline (qui correspondait à la relation avec son père) et l'angoisse d'enfermement de Jean (qui remontait à son enfance aux mains d'une mère anxieuse) aurait pu constituer une opportunité exceptionnelle de leur faire prendre conscience de ces névroses en exprimant au partenaire les sentiments vagues et incertains que tous deux ressentaient.

Jean aurait pu faire part de la sensation d'oppression qui pesait sur ses épaules le soir, quand il rentrait à l'appartement, sachant qu'Aline lui préparait déjà le dîner; Aline aurait pu montrer à Jean sa peur qu'il la trompe, même s'il jurait que la relation avec son ex-amante était purement intellectuelle, ce qui était vrai.

Alors, Aline aurait peut-être pu «lâcher prise» sur cette peur, et Jean, se sentant libre, aurait pu continuer à l'aimer pour ce qu'elle lui apportait. Ils auraient cessé de s'accuser mutuellement de leurs malaises. Cependant, ne poursuivant pas les mêmes buts, une telle entente n'aurait pu être que provisoire, jusqu'au moment d'affronter la vérité. Elle aurait permis toutefois d'éviter les griefs qui prirent toutes sortes d'aspects et leur firent mal à tous les deux. Jean «découvrit» qu'Aline était très souvent malade et lui «passait ses microbes». Aline ne supporta pas que Jean, qui traversait une phase professionnelle très difficile, ne puisse contribuer pour moitié aux dépenses du ménage; ce n'était pas là l'image idéale de l'homme qu'elle avait épousé.

Ces inconvénients auraient pu être surmontés ou relativisés si l'*affinité* avait toujours été présente, mais nous venons de constater qu'elle avait disparu en même temps que la *communication*.

Jean et Aline se sentirent peu à peu devenir des étrangers; ils percevaient de moins en moins leur réalité réciproque, leurs désirs, leurs buts.

Ne trouvant plus dans la relation l'assouvissement sexuel qu'il recherchait, Jean retrouva l'angoisse du manque d'amour. Étant dépendant sexuel, il ne put trouver dans l'affection sincère qu'Aline lui portait un autre substitut compensatoire au manque affectif.

Quant à Aline, elle désirait par-dessus tout «avoir un homme à elle». Et même si cet homme à présent la décevait, elle se refusait à admettre l'échec et à affronter ce qui, pour elle, était le plus dur : la solitude, la recherche d'un nouveau mari.

Le divorce

Jean découvrit plus tard, au cours de sa thérapie, que le mariage en lui-même avait provoqué chez lui la résurgence d'un très fort sentiment d'impuissance. Cette angoisse correspondait à la relation symbiotique très forte entretenue avec sa mère, qui l'avait pris en quelque sorte comme un amant de substitution, vivant à travers lui l'amour dont elle était frustrée. Le père, bien sûr, en avait pris ombrage et s'en était cruellement vengé. Jean, en épousant Aline, avait inconsciemment cru retrouver la même situation et attendait le châtiment, dans l'angoisse et la culpabilité.

Son autopunition consista à se saborder professionnellement. Son angoisse était telle qu'il ne travailla plus. La seule chose qu'il ressentait encore, c'est qu'il voulait mettre fin à la relation puisque, au lieu de le soulager du manque d'amour et du refoulement de la haine qu'il vouait à son père, elle les aggravait.

Aline s'accrochait désespérément à son mariage, car ce n'était pas véritablement la personne de Jean qu'elle aimait, mais, à travers lui, la relation de couple en elle-même.

Perdant pied tous les deux, ils décidèrent de consulter un thérapeute et tentèrent d'exposer avec sincérité leurs angoisses mutuelles, dans le respect de l'Autre, prenant responsabilité de ce qu'ils ressentaient et n'en accusant plus le partenaire. Ils en arrivèrent à la conclusion qu'ils ne pouvaient former un couple viable et décidèrent de divorcer par demande conjointe.

Jean, libéré de son angoisse, se sentit à nouveau plein de tendresse pour Aline et lui fit savoir qu'elle pouvait compter sur son aide.

Quant à lui, il venait de prendre conscience qu'il lui était impossible de fonder un foyer avant d'avoir assumé le lourd fardeau de son enfance. Il devait également se pencher sur sa dépendance sexuelle.

Aline, elle, travailla à faire le deuil de sa relation, à en tirer les enseignements. Elle s'aperçut que son bonheur ne consistait pas tant à fonder un nouveau couple qu'à connaître ses propres valeurs et s'assurer que son partenaire les partageait.

Eh non, la «communication du cœur», la définition du Moi, l'affinité, la réalité ne font pas de miracle et ne donnent pas forcément une fin heureuse, du type «ils se remarièrent ensemble et eurent beaucoup d'enfants»! Ces techniques donnent bien mieux : la Vérité et la Conscience.

C'était leur vérité que d'accepter le divorce. Il est maintenant de leur devoir de faire des épreuves qu'ils ont traversées ensemble une leçon de vie qui les pousse vers la Conscience et l'Amour. Alors, ils pourront se retrouver et s'Aimer : se respecter l'un et l'autre, même si cela ne passe pas par une relation sexuelle ou maritale. Ils auront tous deux retrouvé leur *intégrité*. Ils pourront s'aimer eux-mêmes, car ils se respecteront; aimer l'Autre, car ils pourront le respecter tel qu'il est, n'ayant plus d'attentes inconscientes à combler. Ils pourront se laisser aimer, car ils n'auront plus peur de leurs sentiments et de leurs sensations. Ils seront sortis du refoulement : *ils seront vivants*.

Chapitre XV

Des clefs pour une relation amoureuse réussie

J e voudrais que ce livre ne soit pas seulement un ouvrage théorique, mais que sa lecture débouche sur un acte salvateur : entreprendre un travail concret sur soi afin de trouver l'Amour.

Il n'existe que très peu de thérapeutes à même d'aider les autres en ce domaine.

Je présente ici quatre d'entre eux. Jean-Jacques Rigou, qui guide nos pas depuis quelques années sur la voie du Tantra, Bernadette Blin et Francis Lery dont les techniques de respiration holotropique ont été un autre moyen pour moi d'accéder à l'Amour, dans ses composantes énergétiques, et Sudheer Roche, thérapeute organisant des stages spécifiques à la relation amoureuse, dont les intuitions m'ont semblé être souvent à même d'amener ses clients à des prises de conscience très profondes.

Jean-Jacques Rigou : L'école du Tantra

Amour

«Si tu aimes quelqu'un, tu ne chercheras pas à le changer, mais au contraire, tu l'aideras à trouver si pleinement son être profond qu'il n'aura pas besoin de toi.»

Lorsqu'on est totalement libre, le véritable échange est possible. Alors on donne non par besoin ou par contrat; on donne parce que l'être déborde et que l'on aime donner. L'amour accepte et renforce la liberté de l'Autre. Tout ce qui détruit la liberté n'est pas amour.

Quand l'amour se détériore, il devient possession, jalousie, lutte de pouvoir, domination, manipulation... Quand l'amour vit vraiment, il devient liberté absolue. Et cet amour commence par l'amour de soi. Le Tantra est l'amour pur, la méthodologie qui purifie l'amour de ses poisons... Laissons faire, laissons venir, ne soyons pas mendiants en amour, soyons empereurs. Donnons et nous recevrons mille fois en retour.

Si nous attendons quelque chose d'une personne, nous la manipulons. Or quand on se sent manipulé, on veut se rebeller, car on sent que sa liberté est polluée. On n'est plus sacré, on n'est plus la finalité ici et maintenant, on est utilisé comme une chose. Chaque être est une finalité en soi. Personne n'est venu ici-bas pour répondre aux demandes extérieures. Prenons donc bien garde à ne pas aimer dans le besoin, mais dans l'échange... Notre amour ne doit pas devenir une prison pour l'Autre.

Le Tantra transforme la passion en amour. La passion est un attachement, l'amour donne la liberté. Le Tantra est la plus haute forme d'amour.

Le véritable amour ne survient que lorsque notre être a atteint la maturité. On ne devient capable d'aimer vraiment que lorsqu'on est devenu adulte. L'amour de celui qui a profondément besoin de l'Autre est un pseudo-amour. Une personne intégrée est emplie d'un amour qui déborde vers l'Autre, se répand autour d'elle comme la lumière d'une lampe dans l'obscurité. L'amour est une fonction de l'être.

Celui qui a trouvé son propre centre, qui est présent à lui-même, émet autour de lui une aura d'amour. Celui qui n'a pas conscience d'être ne dégage rien. C'est pourquoi il a besoin de recevoir, d'être rempli; il est comme un mendiant qui rencontre un autre mendiant et chacun croit que l'Autre possède et peut lui donner ce que lui-même n'a pas. Bien sûr, à la fin, chacun sera perdant et se sentira trompé. Comment pourrait-on donner ce qu'on n'a pas, aimer l'Autre quand on ne sait pas d'abord s'aimer soi-même? C'est impossible.

On peut, tout au plus, être malheureux et séparé ensemble, ce qui est pire qu'avant, car on se sent plus frustré et on rejette la faute sur l'Autre. Tel est le paradoxe : ceux qui "tombent" amoureux n'ont pas d'amour, c'est pourquoi ils "tombent"; leur besoin est comme un gouffre sans fond, ils ne peuvent donner. Une personne évoluée ne "tombe" pas en amour, elle s'élève. Seuls ceux qui n'ont pas l'intégrité requise pour assumer leur solitude, leur autonomie, "tombent" et se sentent piégés, étouf-fés. Ceux qui s'aiment avec maturité se libèrent mutuellement, ils s'aident à détruire tous les liens factices qui les relient fausse-ment, tous les attachements qui les emprisonnent. L'amour qui est donné avec la liberté devient un art.

L'amour naît de la méditation, n'est pas un amour de posses-sivité, d'attachement, de jalousie...

Ce que nous appelons ordinairement l'amour n'est pas le véri-table amour. C'est une sorte de mendicité qui dit : «Donne-moi, donne-moi toujours plus.» Le véritable amour, lui, dit : «Prends, prends toujours plus.»

Quand l'amour donne, il est vrai.

Quand l'amour prend, il est faux.

L'amour a trois dimensions. L'une est animale, inconsciente, instinctive, biologique. La seconde est un peu plus que la pre-mière; ce n'est plus l'attirance de deux corps, c'est l'attirance de deux psychés, c'est un niveau un peu plus raffiné que le pre-mier, mais il obéit aux mêmes lois : il naît et il meurt, il est éprouvé dans la relation et s'enracine dans l'inconscient.

La troisième est l'amour dans la dimension spirituelle. Quand on entre dans cette dimension, on est Amour. Cet amour n'a plus besoin de personne, il s'adresse à l'univers entier. Il n'est pas provoqué en nous par un objet extérieur, une personne extérieure : il émane de nous comme le parfum émane de la fleur, même si personne n'est là pour le respirer. Cette forme d'amour qui est la plus raffinée est le fruit de la méditation. Il naît quand on arrive à se connaître soi-même et à être soi-même... Cet amour est une plénitude qui ne demande qu'à se répandre, à s'épancher. Celui qui vient à réaliser qu'il n'est pas séparé de l'existence, qui se sent en communion orgasmique avec elle, connaît l'amour. Cet amour n'est pas lié à une relation. C'est un état d'être qui n'a rien à voir avec quelqu'un d'autre. L'amour est la seule véritable religion. L'amour est la seule chose de la vie qui soit substantielle, tout le reste n'est qu'illusion. Si nous laissons l'amour fleurir en nous, Dieu suivra car Dieu est amour, Dieu c'est l'amour. Et si nous nous rappelons l'amour, nous pouvons oublier Dieu, il viendra de lui-même car Dieu n'est rien d'autre que le parfum de l'amour. Si nous sommes pleins d'amour, le monde est plein de Dieu, le monde est Divin. Dieu et Amour viennent toujours ensemble. Remplissons-nous d'amour et remplissons le monde d'amour, c'est la seule véritable religion, car l'amour n'est ni chrétien, ni bouddhiste, ni musulman. Par contre, si nous sommes pleins d'amour, nous pouvons être un Christ, un Bouddha, un Mahomet. Faisons fleurir l'amour en nous et Dieu sera notre parfum.»

Attachement

«Être attaché, c'est vouloir que les choses, les êtres, les situations que nous vivons soient pour toujours les mêmes.

Cela est, bien sûr, demander l'impossible, car la nature même de la vie, de l'existence, est le changement.

Tout passe comme nous-mêmes passons, il y a un début et une fin à tout. Nous sommes arrivés sur cette terre un beau jour... Nous en partirons un beau jour...

Mais nous refusons le temps qui passe, nous refusons que notre corps vieillisse, que nos amours finissent, que nos relations se transforment... Nous tombons amoureux de quelqu'un et tout de suite c'est l'attachement. Et avec lui les misères et les souffrances. On devient possessif, on commence à avoir peur que l'Autre nous échappe, qu'il tombe amoureux de quelqu'un d'autre... Alors les stratégies, les manipulations commencent, on interfère avec la liberté de l'Autre, on le réduit à l'état d'objet. Et, bien sûr, le respect de l'Autre disparaît avec notre peur de le perdre, et le véritable amour n'est plus alors que de l'attachement. La relation n'est plus qu'un combat pour posséder l'Autre qui ne laisse plus aucune place à l'amour.

L'attachement est le poison de l'amour, il détruit l'amour. Cultivons l'amour, vivons-le intensément, profondément, mais ne le mélangeons jamais avec la possessivité, la jalousie. Les choses vont et viennent, les amours naissent et meurent, et nous, tenons-nous dans notre propre centre. Ne retenons rien, ne prenons que ce qui vient et laissons-le repartir quand le moment est venu, et chaque fois disons merci.»

Couple

«Vivre en couple est une expérience pleine d'enseignements. C'est d'abord une occasion d'apprendre que l'amour, le véritable amour, n'a rien à voir avec la dépendance. Dépendre de quelqu'un, c'est ouvrir la porte à la colère, la jalousie, la possessivité, la domination et autres attitudes malsaines. La première chose que l'on doit apprendre pour faire de la vie en couple une expérience réussie, créative, harmonieuse, c'est l'indépendance. Si l'esprit devient méditatif, on sait comment se suffire à soi-même, on sait comment trouver la joie en soi-même, et ainsi l'Autre n'est plus un besoin. Quand le partenaire n'est plus un besoin, on peut lui faire partager sa joie. C'est le partage qui fait la qualité de la vie en couple.

Le couple construit sur la dépendance, et notamment sur la dépendance affective, appartient au passé. Le couple du futur sera bâti sur l'amitié. Le lien qui se tissera entre l'homme et la femme partira d'un amour qui pourra être, au départ, passionnel, mais qui, au fil du temps, se transformera en une fraternité, une complicité, une intimité partagée librement et joyeusement. Et pour que cela soit possible une condition est nécessaire dès le départ : rien n'est promis pour demain.

Partager le moment présent est suffisant, et si ce partage s'effectue dans l'amour, dans le respect de l'Autre, il engendrera le moment suivant, et l'amour pourra se consolider, entrer dans de nouvelles dimensions, mais sans créer de dépendances.

Rappelons-nous que nous ne sommes pas avec l'Autre pour lui faire partager notre misère, mais au contraire pour lui faire partager notre richesse. Nous sommes avec lui pour lui donner. Notre misère est notre propre affaire, alors méditons, grandissons intérieurement, remplissons-nous et donnons, donnons, donnons...»

Disciple

«La relation entre le disciple et le maître est totalement différente : c'est une relation de cœur à cœur. Le disciple ne vient pas vers le maître pour apprendre quelque chose à propos de Dieu, de la Vérité, de l'amour. Il veut goûter, expérimenter, et pour cela, il est prêt à prendre le risque de sauter dans l'inconnu.

Le disciple est réceptif, vulnérable : devant le maître, toutes les défenses tombent... et il commence à s'effacer, à n'être plus rien. Le disciple se mélange au maître, il détruit toute distance, il se fond dans l'énergie du maître, il plonge au fond du brasier qui brûle dans le cœur du maître, s'y consume totalement, et le miracle peut se produire : il renaît à lui-même avec les ailes de la liberté et prend son vol. La chenille rampante de l'ego est devenue le papillon lumineux et libre qui ira butiner le nectar de la vie.

Le mot «disciple» signifie : celui qui est prêt pour apprendre, ce qui explique le mot «discipliner»; un espace qui est créé pour apprendre, et être disciple signifie qu'on est prêt à mettre de côté tous ses préjugés, à renoncer à toute croyance, à toute certitude, à tout *a priori*, pour apprendre seulement de l'expérience. Et le maître n'est pas là pour nous habiller davantage, pour nous donner de nouvelles certitudes, de nouvelles croyances, il est là pour nous aider à nous mettre à nu, à nous dépouiller du faux pour que, par nous-mêmes, sur la base de notre propre expérience, nous puissions trouver le vrai.

Quand un être humain réalise que l'ego qui mène la barque de sa vie ne le mène qu'à la misère, au non-sens, que l'embarcation tourne en rond et que, sans cesse, reviennent les mêmes expériences négatives, les mêmes échecs, les mêmes erreurs, il est prêt à être un disciple.»

Éveillé

«Nous croyons être éveillé parce que chaque matin nous sortons du sommeil, nous nous réveillons... Ouvrir les yeux au réveil est une chose, être éveillé en est une autre... totalement différente. Il suffit de fermer les yeux à n'importe quel moment de la journée pour constater le va-et-vient des rêves, des fantasmes, des désirs, des images, des impressions qui s'enchevêtrent en nous. Être réveillé n'est pas être éveillé.

Quand nous sortons du sommeil, le rêve continue... la seule différence est que les yeux sont ouverts. Regardons les mécanismes de nos comportements... Nous sommes des robots... La plupart de nos actes sont accomplis inconsciemment... Nous sommes programmés! Programmés par les idéologies, les croyances, l'éducation, etc. Dès notre plus tendre enfance le bourrage de crâne a commencé, les curés, les politiciens, les parents, les professeurs, les conseilleurs de tout poil ont construit le programme qui est en nous et que nous suivons aveuglément.

L'état que nous nommons "éveil" est plein d'habitudes mécaniques, de préjugés, d'idées toutes faites, de comportements aveugles que nous reproduisons sans cesse dans notre vie quotidienne et que nous transmettrons à notre descendance qui en fera autant... et ainsi de suite... à moins que nous ne nous éveillions véritablement... L'état d'éveil véritable ne survient que quand nous sommes totalement déprogrammés, inconditionnés.

Bouddha signifie littéralement "éveillé". Celui qui a cessé de rêver, celui qui est en contact direct avec ce qui est. Et c'est seulement quand on est éveillé que la vue est claire, qu'on peut voir, et donc agir d'une manière juste, faire ce qu'on a à faire et ne pas faire ce qu'on ne doit pas faire.

La connaissance de ce qui est bien et mal, vrai ou faux, juste ou injuste n'est accessible qu'à celui qui est réellement éveillé.»

Femme

«Selon le Tantra, le féminin est le médiateur entre l'existence et l'essence, entre l'inconscient et la conscience pure. C'est pourquoi la femme peut être tour à tour démoniaque et castratrice, ou initiatrice et médiatrice. Elle a le pouvoir d'élever l'homme ou de le faire chuter au plus profond des enfers. Elle incarne la dialectique vivante du noir et du blanc. La femme est "lune" passive, réceptive; c'est du regard de l'homme que dépend sa rédemption à l'état de Shakti ou sa chute comme "agent du démon".

Si l'homme peut vénérer sa femme, lui vouer un culte (ou plutôt vouer un culte au Divin à travers elle) en reconnaissant sa lumière, la beauté de son âme, la grâce de son corps, le raffinement de son esprit, la qualité de sa sensibilité, il fait d'elle un Shakti. Elle devient alors l'initiatrice, l'inspiratrice qui fait grandir l'homme, qui l'aide à raffiner sa grossière et animale énergie. Tourné vers la terre, vers l'avoir, le quantitatif, le rationnel, le mental par son énergie masculine, l'homme a besoin de contacter sa propre énergie féminine pour l'élever au-delà de sa condition d'homme "infra-humain". Et sa Shakti est un excellent miroir qui l'aide à repérer le féminin en lui, l'Être, le qualitatif, l'intuition, l'émotion mystique.

Le féminin n'est impur que quand il est souillé par le masculin, sinon il est le pôle lumineux de l'être; il symbolise la beauté, l'amour, la créativité, le subtil, ce qui s'élève.

C'est par un profond respect des femmes, à commencer par la sienne, que l'homme peut s'élever en conscience.

Elle n'est pas un objet sexuel à la disposition de ses caprices, de son bon vouloir et de ses instincts incontrôlés. Elle n'est pas un faire-valoir pour son ego, elle n'est pas une maman pour l'enfant qui-n'a-pas reçu-son-compte-d'amour, présent en tout homme. Elle n'est pas un robot à repasser ses chemises, une machine à faire des enfants, un défouloir pour son agressivité. Elle n'est pas à vendre, elle n'appartient à personne, sinon à Dieu.

Qu'y a-t-il au monde de plus lumineux, de plus magnifique qu'une femme qui a trouvé sa grâce, sa dignité et sa divinité, et qui l'exprime?

Quand la femme enveloppée de soleil a trouvé en elle la "Déesse-Mère du Monde", elle devient Amour et détient le pouvoir d'engendrer le "fils de l'homme".»

Mariage

«Jusqu'à maintenant le mariage a toujours été un moyen pour chaque partenaire de se sentir en sécurité et c'est ce qui en a fait une institution névrotique, misérable, qui est bien souvent un suicide pour l'être spirituel de chacun. Car si le mariage n'est qu'un arrangement pour assurer notre sécurité, le prix que nous avons à payer est très élevé : c'est la mort de notre liberté. Et quand la liberté est perdue, tout devient laid, lourd, la mort s'installe à la place de la vie. Car la vie, c'est la liberté, et la liberté, c'est l'insécurité. L'insécurité nous maintient alerte, vif, intelligent... Rien n'est sûr, on doit rester éveillé, alors on peut grandir, apprendre, connaître la substance de la vie. Si le mariage signifie la mort de notre liberté, ce n'est rien d'autre qu'un tombeau.

Alors rappelons-nous : si le mariage permet à la liberté et à l'amour de cohabiter, il est bon, soyons-en conscients en permanence. Ne bradons pas notre liberté au nom de la sécurité, ne permettons pas à l'Autre d'entamer cette liberté, de la diminuer, et n'entamons pas la sienne, au contraire, respectons-la. La liberté est le but et la fondation de ce que nous construisons ensemble. L'amour entre deux êtres est la plus profonde expérience quand il est basé sur la liberté.

L'amour qui fleurit dans une maison fermée de partout n'est qu'une fleur en plastique, il n'est pas vrai, il ne peut pas nous satisfaire. Pour être vraie, la fleur a besoin de l'orage, des éclairs, du tonnerre, des nuages, du soleil et du vent. L'amour a besoin de l'insécurité, de tous les défis lancés par la vie pour rester vivant. Si nous le protégeons trop, il pâlit, devient anémique puis il finit par mourir.

Alors, comment savoir si notre mariage est réussi? Il y a un critère fondamental; si nous sentons que dans le mariage nous continuons à grandir intérieurement, si on se sent de plus en plus vibrant, vivant, si on sent qu'on s'ouvre de plus en plus, non seulement à son partenaire mais à toute la terre, à tout l'univers, si on est de plus en plus sensible à la beauté, à la poésie de l'existence, si on sent que l'amour en soi grandit, qu'on est de plus en plus conscient, alors c'est bon, continuons... Mais si nous sentons, à l'inverse, que l'aventure, la poésie de la vie devient prosaïque, si l'amour diminue, si la relation devient un fardeau, un devoir, alors n'hésitons pas à sortir de la prison avant qu'elle ne nous étouffe jusqu'à la mort.

Le but essentiel du mariage devrait être la volonté commune de deux êtres de créer une profonde amitié entre eux, de se donner la possibilité de mélanger leurs énergies afin de continuer à grandir intérieurement avec le soutien de l'Autre. Le mariage ne devrait être que l'opportunité que se donnent deux êtres de communier sur tous les plans, de se mélanger physiquement, psychologiquement, spirituellement, sans se perdre l'un dans l'autre, mais au contraire, se retrouver chacun plus profondément dans sa propre individualité, dans sa propre essence.

Le mariage est le mélange de deux cœurs ouverts pour vivre l'aventure de la vie ensemble.»

Sensualité

«La sensualité est la circonférence et la spiritualité est le centre. La sensualité est le commandement de la spiritualité. Être de plus en plus sensuel, c'est être de plus en plus vivant.

Être sensuel signifie être ouvert. Les sens sont des portes par lesquelles entre l'existence. Être sensuel signifie maintenir ses sens en éveil. Un oiseau a chanté, la brise nous a effleuré le visage et une senteur de printemps s'est infiltrée dans nos narines... Nous sommes en communion avec l'existence en tout premier lieu par nos sens.

Goûter la vie, partout où elle se manifeste, dans sa diversité de couleurs, de formes, de goûts, de parfums, de sons, c'est s'enrichir, c'est participer à son mystère. Les sens doivent s'ouvrir de plus en plus pour que, quand la musique arrive, on devienne cette musique, quand les couleurs nous parviennent, nous devenions ces couleurs.»

Sexe

«La religion traditionnelle condamne et réprime le sexe. Mais on ne peut réprimer le sexe sans causer de graves troubles psychosomatiques. L'énergie sexuelle est une réalité biologique, existentielle. Elle ne peut que se transformer pour être exprimée à un niveau plus élevé. Comme le lotus prend racine dans la boue, l'Amour prend racine dans l'énergie sexuelle. Le lotus s'élève à partir de la boue. Si nous réprimons sa croissance, il reste dans la boue. L'humanité bien pensante a toujours réprimé le sexe, elle l'a toujours maintenu dans la boue de l'inconscient. Plus on réprime quelque chose, plus on l'amplifie. Si on réprime l'énergie sexuelle, elle va s'exprimer d'une manière malsaine, névrotique.

Contrairement à une fausse interprétation (due d'ailleurs au climat malsain qui entoure le sexe dans nos sociétés), le Tantra n'est pas basé sur des pratiques sexuelles, ni même sur une attitude privilégiant le sexe, simplement il accepte le sexe comme il accepte l'être humain tel qu'il est. C'est par une profonde compréhension du phénomène de l'énergie sexuelle et des techniques pour la transmuter en énergie créatrice qu'il transcende le sexe. Le Tantra ne condamne pas plus le sexe qu'il ne s'y complaît. Il cherche simplement à le comprendre et à s'élever du plan animal au plan humain dans une perspective divine. Ce sont les gens refoulés, les gens malsains à l'égard du sexe qui condamnent le Tantra et entretiennent les malentendus. Ces gens sont obsédés et projettent leurs fantasmes dès qu'on parle du sexe sans le condamner. En fait, l'énergie sexuelle, c'est l'énergie vitale à l'état brut. La vie dans tous les domaines (végétal, animal et humain) est perpétrée par le sexe, par la relation énergétique mâle-femelle. Mais ceci n'est qu'un aspect limité, la reproduction n'est que la première fonction sexuelle. L'homme doit comprendre le mystère de la relation sexuelle entre le masculin et le féminin, avant de le dépasser. Pour le comprendre, il faut l'accepter et le vivre positivement, sans tomber dans l'excès. Il est une étape sur la Voie et, à cette étape, il y a déjà certaines clés pour poursuivre le chemin à un niveau supérieur.»

Shakti

«La libération sans la connaissance de la Shakti n'est que simple plaisanterie (*Tantra Tattva*).

Brahman, l'absolu, quand il se manifeste, se polarise d'une part en Shiva : l'Esprit pur ou Conscience pure, Être pur, Essence, et d'autre part en Shakti : la puissance existentielle de *Shiva* ou énergie. C'est sous l'aspect de Shakti que Dieu (*Shiva*) produit, nourrit et maintient l'univers. Elle est la créativité du Créateur.

Quand l'Esprit se manifeste (quand Dieu-Essence devient existence), il devient énergie ou 'puissance' sous forme de Shakti. Cette puissance "va de l'avant" dans une suite d'émanations et de transformations qui sont appelées les 36 *Tattvas*, et devient le monde (minéral, végétal et animal) dans toutes ses formes.

Shakti est en même temps la substance et la puissance dynamique qui incarne l'Esprit, qui le manifeste. C'est l'Énergie-Conscience qui descend de l'Esprit vers la matière et remonte de la matière vers l'Esprit dans un mouvement constant. Tout ce qui existe dans l'univers du monde phénoménal est Shakti.

Le but de la *Sâdhanâ* tantrique est dans un premier temps de reconnaître Shakti (l'énergie) dans toutes ses formes, puis de la reconduire à sa source qui est la Conscience (Shiva).

Shakti, le principe féminin, est donc considéré comme le principe actif de la conscience, ce qui explique pourquoi, dans le Tantra, la femme est vue comme une émanation du principe féminin et représente l'énergie cosmique incarnée. La femme en tant que Shakti est investie de tous les aspects de la vie, de la création à la dissolution, du sensuel au spirituel. La puissance universelle de Shakti est le moteur et la matrice de tout ce qui "est" dans l'univers et de tout ce qui "se fait" dans l'univers.»

Shiva

«Dans les *Upanishads* (textes sacrés considérés comme l'achèvement philosophique des *Védas*), Brahman (Dieu en tant qu'absolu) se manifeste sous forme de *Trimûrti* (trinité) : *Brahmâ*, *Vishnou*, *Shiva*. *Brahmâ* est le principe créateur, *Vishnou*, le principe conservateur qui soutient la création et *Shiva* le principe destructeur. C'est parce qu'il est le destructeur que *Shiva* signifie le bon, le bienveillant. Il est celui qui dépouille de tout, qui ne permet de demeurer à rien de ce qui n'est pas, qui fait sans arrêt passer au-delà. Il est le temps qui emporte l'homme et l'univers dans une ronde inexorable, qui fauche l'instant qui passe, pour permettre de naître à celui qui suivra. C'est lui qui rompt toutes les attaches et qui défait tous les liens. *Shiva* est celui qui détruit pour faire renaître.

Dans la vision tantrique, il est le principe transcendant, masculin, inactif et statique, l'essence suprême qui produit la grande danse de la vie (Shakti) et en qui elle se résorbe.»

Les stages de l'école du Tantra

Jean-Jacques Rigou anime deux à trois fois par mois des stages de Tantra qui constituent en fait des psychothérapies à dimension spirituelle : un véritable apprentissage à l'Amour, de soi tout d'abord, puis des autres.

Ces stages sont peu coûteux, ceux qui le désirent peuvent s'engager dans un processus de développement d'une durée de trois années.

Tous renseignements peut être obtenu en écrivant ou téléphonant à :

ÉCOLE DU TANTRA
68, rue de la Rousselle
33000 BORDEAUX
Tél. : 556 01 01 60
Fax : 556 44 45 76

Bernadette Blin et Francis Lery : Souffle et Amour

Bernadette et Francis animent depuis de très nombreuses années un ou deux stages par mois de «respiration holotropique». Tous deux engagés dans une démarche spirituelle, ils proposent une thérapie basée sur le souffle et l'émotion débouchant sur la relation au Divin, c'est-à-dire la relation à l'Autre, l'Amour.

Ce texte, écrit par Bernadette, résume bien leur orientation.

L'ouverture du cœur

«C'est la véritable clé du travail transpersonnel. Il s'agit de cet engagement dans l'être, au-delà même du faire.

On lie souvent les deux notions d'ouverture du cœur et d'amour inconditionnel qu'on peut aussi appeler amour transpersonnel.

Nous ne sommes plus dans l'amour affectif, l'amour avec un objet d'amour, mais nous parlons d'un état intérieur qui n'a pas besoin de l'autre pour se manifester.

Comme l'écrit Marc Alain DESCAMPS :

... ce qui caractérise le transpersonnel, c'est cette dimension de l'Amour. La vie transpersonnelle commence par une ouverture au niveau du cœur, puis suit une apparition de vagues d'Amour et de ferveur, de reconnaissance pour tout ce qui s'est produit. Mais il s'agit du véritable Amour, le pur Amour qui est bienveillance et bienfaisance et non désir possessif et égoïste de l'amour captateur. C'est cette ferveur, cet élan d'Amour qui doit être transmis. Il faut apprendre aux gens à s'aimer.

Cette ouverture du cœur se rencontre souvent au sein des expériences transpersonnelles vécues en Respiration Holotropique et provoque chez les personnes un élan de gratitude qui persiste au-delà même du temps du séminaire.

Mais cette ouverture du cœur se réalise aussi dans les relations interpersonnelles, par la recherche de la disponibilité et de l'authenticité.

Cette notion d'authenticité est une clé dans le travail de transformation. L'authenticité nous met en contact avec le niveau de nos émotions et de nos sentiments, elle nous demande d'être simples, d'être simplement nous-mêmes. Elle nous entraîne au-delà du «paraître»; du masque de l'ego ou elle nous amène à l'assumer. C'est tellement simple et si difficile à la fois.

C'est une clé qui ouvre le cœur de celui qui se dépouille ainsi de tous les artifices du ou des personnage(s) qu'il s'est construit(s) et qui ouvre aussi les cœurs de ceux qui reçoivent un des cadeaux les plus précieux que nous puissions nous faire les uns aux autres.

Nous montrer tels que nous sommes, sans détour, avec tout ce qui est pour nous valorisant et gratifiant, nos «valeurs sûres», mais également avec tout ce qui nous ronge, nous hante, nous humilie et qui est nous aussi.

Et c'est l'ouverture à tout cela qui devient un enrichissement et pour nous et pour les autres.

Je n'ai jamais rencontré de situation – dans ces groupes – où une authenticité véritable n'ait pas touché ou transformé au moins une autre personne. Les individus engagés dans une démarche thérapeutique ont tous besoin d'amour. Nous avons tous besoin d'amour! L'amour inconditionnel libère et fait grandir, l'amour conditionnel, possessif, enferme et nous entraîne à élaborer des mécanismes de défense et des systèmes de manipulation.

Pour que l'amour soit véritablement transformateur, il faut qu'il soit évident, palpable, vécu, intense et durable, sinon c'est juste une éclaircie entre deux nuages.

Une grande part de l'énergie du thérapeute doit être mise au service de l'Amour avec un grand A pour permettre aux participants de mieux s'aimer eux-mêmes et de s'ouvrir aux autres. Nous sommes nous-mêmes en pleine recherche et expérimentations, et je soulignerai la nécessité de l'engagement personnel et transpersonnel du thérapeute, alliant rigueur, humilité et amour.

C'est par l'accès aux expériences d'expansion de conscience – lorsqu'elles sont bien intégrées – que l'homme peut réaliser sa dimension divine ou cosmique.

Les expériences d'expansion de conscience induites par la respiration holotropique nous permettent d'entrer en contact avec d'autres niveaux de réalité. Elles bouleversent aisément et rapidement les systèmes de références sur lesquels nous nous appuyons. C'est un peu comme si un voile se déchirait pour nous révéler un autre monde (ou d'autres mondes) contenu dans celui-là.

La respiration holotropique, mise au point par Stanislav Grof, est notre approche privilégiée pour induire des états modifiés de conscience. Elle combine une respiration profonde, hyper-ventilée, l'utilisation de musiques spécifiques et inductives, une forme particulière de travail corporel et un accompagnement très respectueux et très disponible du partenaire, puisque c'est une expérience qui se réalise à deux, chacun étant tour à tour dans le rôle du «respirant» et de l'«accompagnateur».

La respiration holotropique agit comme un catalyseur psychique, faisant émerger de la conscience sous une forme originale et symbolique les matériaux inconscients dont l'individu a besoin dans son processus de croissance. Expériences de «nettoyage», de libération cathartiques ou expériences nourricières, réparatrices, ouverture au cosmique et au divin.

Ces expériences touchent tous les plans de l'être et nous permettent de réunir en nous notre dimension humaine et notre dimension spirituelle.

Ce processus d'évolution intérieure, ce cheminement vers le cœur de soi peut se réaliser au travers de groupes de thérapie et développement transpersonnels.

Une formation pour des thérapeutes désirant intégrer une démarche et des outils transpersonnels est également proposée.»

Les stages de Bernadette et Francis

Groupes de Recherches et d'Études en Thérapie transpersonnelle (G.R.E.T.T.)
Bernadette Blin et Francis Lery
44, rue de la Chapelle
95310   Saint Ouen l'Aumone
Tél. : (33) (1) 30 37 17 31
Téléc. : (33) (1) 30 37 53 33

Sudheer Roche :
Tantra, sexualité et ouverture
de la conscience

Les groupes de Tantra abordent la sexualité; on y associe techniques de psychothérapie classiques et pratiques traditionnelles : pour se libérer des peurs, de la culpabilité, des conditionnements concernant la sexualité; pour retrouver la spontanéité et l'innocence de l'enfant par rapport au sexe; pour apprendre à s'abandonner au flot naturel de l'énergie sexuelle; la laisser circuler dans les différents centres subtils; relier le sexe au cœur et ouvrir la conscience à d'autres dimensions.

Le Tantra n'est pas normatif. Il ne dit pas : «Vous devez faire ceci et pas cela.» Il n'évalue pas en termes de bien ou de mal. Il dit : «Soyez avec ce qui se passe! Ajoutez simplement une qualité : la conscience. Ne cherchez pas à changer mais à connaître!» C'est la conscience qui transforme, pas la volonté; celle-ci étant toujours au service des conditionnements reçus.

Le Tantra vous introduit dans une dimension de relaxation plus profonde. Les partenaires en se fondant l'un dans l'autre se donnent l'énergie vitale. Ils forment un cercle; leurs énergies se donnent vie et se renouvellent. Il n'y a pas de perte; l'énergie s'accroît au contact du sexe opposé; chaque cellule est stimulée et excitée.

Si vous pouvez vous fondre dans cette excitation sans l'amener à son terme et rester dans la chaleur initiale sans vous enflammer davantage, vos deux chaleurs vont se rencontrer et vous pourrez prolonger l'acte très longtemps. Sans éjaculation, sans perte d'énergie, dans ce qui devient une médiation, vous trouvez votre unité. Dans cette expérience, votre personnalité éparpillée est réunifiée. Osho

Les stages de Sudheer Roche

Sudheer Roche, psychologue clinicien, anime des groupes d'initiation au Tantra, des groupes de formation de longue durée, des groupes de couples, des groupes sur la relation amoureuse et des groupes sur l'ouverture de la vision. Il a animé, pendant des années, des groupes à l'ashram de Poona, dans la présence et l'inspiration du maître tantrique Osho.

Il a publié plusieurs articles dans la revue *D'âmes d'hommes*.

Sudheer Roche
26, rue du Dr Rebatel 69003 Lyon
Tél. : 472.34.65.82 (9 h à 20 h)